¡VIVA LA DIFERENCIA!

(... y el complemento también)

© 2010, Pilar Sordo
© 2010, de la presente edición en castellano
para todo el mundo de habla hispana

Grupo Editorial Norma
Monjitas 527 piso 17
Santiago de Chile, Chile

ISBN 956-300-015-3
CC: 7394
Registro de Propiedad Intelectual: 146.375

Decimosexta Edición. Noviembre, 2010

Impreso por Grafhika Copy Center
Impreso en Chile / Printed in Chile

www.librerianorma.com

¡VIVA LA DIFERENCIA!

(... y el complemento también)

Pilar Sordo

LO FEMENINO Y LO MASCULINO

LA MAGIA EN EL SER MUJER,
LA REALIDAD EN EL SER HOMBRE

G R U P O
EDITORIAL
norma

Bogotá, Barcelona, Buenos Aires, Caracas, Guatemala, Lima,
México, Panamá, Quito, San José, San Juan, San Salvador,
Santiago de Chile, Santo Domingo

Este libro tiene su primera inspiración hace ya unos cuantos años atrás, en los repetidos momentos en que me tocó oír y observar tanto el discurso verbal como el no verbal de muchas mujeres a las que atendía en mi consulta. Del discurso masculino no tenía tanta evidencia, en parte, creo, porque los cambios culturales que ha experimentado el género femenino han llevado a que mis congéneres recurran más espontánea y libremente a la ayuda psicológica.

Cabía en ese entonces hacer hincapié en que una de las mayores diferencias entre lo que decían las mujeres en mi consulta, respecto de lo que los hombres decían sobre temas similares, es que cuando hablamos de nosotras no hablamos de nosotras, siempre hablamos de otros y esos otros parecen ser los causantes de nuestras infelicidades o de nuestra felicidad sin aparecer en este discurso una responsabilidad propia en nuestro quehacer y en la construcción de nuestra cotidianidad. En cambio, los hombres parecen mayoritariamente preocupados del logro, de las metas y de los obstáculos que encuentran en su camino. Esta primera y gran diferencia surge al deducir una segunda y muy extendida característica femenina, como es el que las mujeres nos quejamos tanto y mucho más que los hombres; siempre hay un "pero", un "pucha", algún tipo de exclamación que hace notar o sentir que hay algo que no fue todo lo ideal que hubiéramos querido que fuera.

Estas dos preocupaciones —el que otros u otras sean los causantes de la felicidad o la infelicidad femenina, la queja o el que nada resulte como se pensó en un primer momento— me llevaron al mundo de lo masculino y lo femenino en Chile. Realicé una investigación de tres años que constó de una muestra de alrededor de tres mil a cuatro mil personas de distintas edades, entre los cinco y los noventa años, de ambos sexos y de distintos niveles socioeconómicos; al final, la muestra fue ampliada para considerar a personas de distintas regiones. Advierto a los lectores que todo a lo que aquí me refiero surge de lo observado empíricamente a través de mi experiencia clínica y que intenté que esta investigación fuera lo más exhaustiva posible. Sólo tomé como referencias de aproximación al tema la teoría de Jung (animus-anima), el enfoque de John Gray y el Ying-Yang —opuestos y complementarios de la filosofía oriental— pero no haré ninguna mención a ellos.

La investigación me permitió identificar como una tendencia importante el que hoy día se piense y transmita a las generaciones jóvenes que las mujeres sufren más, que las mujeres son más humilladas, que las mujeres son más maltratadas. Esto en muchas situaciones y en determinadas realidades sociales es verdad, sin embargo ello no justifica que se esté traspasando en la actualidad a nuestros hijos y futuras generaciones, la idea de que para sobrevivir o vivir más felices debemos ser lo menos mujeres posibles. Esto provoca muchos daños en nuestros adolescentes (a los que me referiré más adelante). Quisiera recalcar además que este trabajo me permitió comprobar de una u otra forma que este tópico constituye una especie de paradigma que lleva ya mucho tiempo circulando en nuestro inconsciente colectivo, con los consecuentes daños.

Por una parte circula el paradigma a través del cual se plantea que hombres y mujeres somos iguales. Cuando yo supongo que algo es igual a mí tengo la predisposición a pensar que esa persona actúa igual que yo, piensa igual que yo, siente igual que yo. Y cuando de alguna manera pretendo que eso sea así se generan todas las incomprensiones que conocemos y experimentamos a diario, pues, en realidad, nadie actuará igual a mí, menos aún una persona del otro sexo. No es cierto que hombres y mujeres seamos iguales; la verdad es que somos absolutamente distintos. Por medio de mi trabajo pretendo demostrarlo y en alguna medida ayudar a que seamos capaces de valorar nuestras diferencias para generar complemento y no motivar la "implacable" igualdad que lo único que produce es competencia.

Ahora bien, aclaro que igualdad no es lo mismo que equidad. Tenemos derechos que nos igualan y, por lo mismo, debiéramos acceder a las mismas oportunidades; pero esto, reitero, no quiere decir que seamos iguales ni psicológica ni socialmente hablando. Cada uno aporta a la sociedad y al mundo afectivo que lo rodea cosas distintas y cosas igualmente importantes y necesarias para la construcción de una familia, una identidad y una sociedad armónica.

Es importante recalcar desde ya que cuando a lo largo del libro me refiera a hombres y mujeres lo que estoy haciendo en estricto rigor es referirme a lo masculino y a lo femenino que todos tenemos dentro de nosotros mismos. Yo, por ser mujer, debiera tener más facilidad para adquirir los aprendizajes femeninos, pero no necesariamente la vida que he tenido me ha permitido encauzar esos aprendizajes, y esto es lo que probablemente le ha pasado a muchas personas y seguirá pasando si es que no nos detenemos, identificamos y reflexionamos sobre este asunto. Lo importante en este punto será, entonces, descubrir qué aspectos masculinos y femeninos tiene cada uno desarrollados y cómo dentro nuestro podemos equilibrar y complementar ambos aspectos para poder hacer más fluida, más íntegra, nuestra estabilidad psicológica y, por ende, lograr la armonía necesaria para poder desarrollarnos en plenitud tanto respecto de uno misma como con los seres que más queremos.

Comencé esta introducción refiriéndome a que las mujeres acusan sufrir más de lo que los hombres manifiestan. Este mensaje ha traspasado los distintos niveles culturales en forma muy potente, pues esa concepción se ha instalado en nuestro discurso verbal, en la manera como las propias mujeres nos referimos a nuestro género. Así, por ejemplo, podemos visualizar el siguiente escenario: si las mujeres tenemos la menstruación, que es mensual, y a la cual se alude como "enfermedad", y que además una semana previa al estar "enfermas" solemos estar un tanto "insoportables"; resulta entonces que debemos contar con a lo menos la mitad del mes dañado y esto equivale, a la larga, a la mitad de nuestra vida. Nadie querrá, en su sano juicio, parecerse a ese ser humano que tiene garantizado pasarlo mal la mitad de su vida.

El mensaje de que ser mujer es un problema lo hemos ido transmitiendo las mujeres adultas tanto a través de nuestro lenguaje verbal como de nuestros comportamientos a las nuevas generaciones, a nuestros hijos, sean varones o mujeres. También, por supuesto, se trata de un concepto incorporado a nuestras relaciones de parejas. Por esto y por lo que veremos más adelante en este libro es que surge la imperiosa necesidad de reevaluar la condición de lo femenino, estableciendo a nivel social el reencantamiento hacia esta mirada, el reencuentro con los elementos femeninos en los procesos productivos, educacionales, familiares e íntimos para poder revisar nuestra historia desde los logros que se están obteniendo y que, como explicaré en los capítulos que vienen, responden más bien a una visión masculina.

Lo dicho hasta aquí implica hacer realmente más profunda nuestra visión para entender de verdad la vida como un proceso de aprendizaje, como algo que se parece más a un vivir la vida paso a paso y no que la buena vida es el resultado de lo que logramos sólo en la medida en que se van alcanzando los objetivos que pretendemos alcanzar. Con este fin describiré capítulo a capítulo los hallazgos y el camino que ha sido, sin lugar a dudas, en primera instancia personal, un redescubrirme a mí como mujer en mis partes masculinas y femeninas tanto en mi trabajo en cuanto psicóloga como en mi postura frente a la vida cultural y social en mi rol de mujer.

PRIMERA PARTE

OPUESTOS Y COMPLEMENTARIOS

Capítulo I

El folículo y el espermio
El comienzo de todas las diferencias

Para dar comienzo a la investigación dividí la muestra con la que iba a trabajar en cuatro grandes grupos: el primero, de niñitas y niñitos entre cinco y once años; después, de adolescentes entre los doce y los dieciocho. Un tercer grupo de hombres y mujeres entre los veinte y cincuenta años, y un cuarto grupo de mujeres y hombres de los cincuenta para arriba. Todos estos grupos participaron en talleres, cursos y charlas dentro de un lapso de tres años.

Lo primero fue trabajar con lo que los psicoanalistas llaman el inconsciente colectivo. Se les hizo asociar libremente las palabras folículo u óvulo o útero y espermio, dado que en algunos casos se desconocía técnicamente lo que significaban las palabras más técnicas, sobre todo en el caso de "folículo". El objetivo fue permitir la asociación libre respecto de todo lo que se les ocurriera ante cada opción.

En el curso de estas asociaciones aparecieron un
sinfín de términos que representarían lo que podría
llegar a configurar un "arquetipo", en tanto se erige
como representante de todo lo que definimos desde
lo biológico, lo femenino y lo masculino; es parte de
nuestro inconsciente colectivo y de lo que hemos ido
entendiendo en relación de lo que implica ser femenino
o masculino.

En total participaron en el curso de esta investigación unas cuatro mil personas en los rangos mencio-
nados. De esta muestra fue posible extraer similitudes
abismantes, a pesar de los diferentes niveles socioeconómicos y culturales. Vale decir, en su mayoría estos
hombres y mujeres (niños y niñas) se aproximaron en
forma similar a los términos señalados. A continuación
compartiré con ustedes las asociaciones más frecuentes
dadas por estos hombres y mujeres, niños y niñas.

(Comenzaré por el *folículo* u *óvulo*, haciendo gala
de privilegio de mi parte femenina.)

¡Viva la diferencia!

Asociaciones frente a la palabra *óvulo* o *folículo*:

solo, espera, acoge, vida, emoción, menstruación,
dolor, paciente, no competitivo, sexo, amor, lento,
receptivo, maternidad, mujer, fertilidad, finitos,
buena resistencia de vida, huevo, retención,
retiene, cuida.

Asociaciones frente a la palabra *espermio*:

rápido, muchos, competencia, meta, logros,
conquista, velocidad, desafío, sexo, poca vida,
egoísta, sólo les importa llegar a su objetivo,
sirven en la medida en que salen de quien
los genera, vida, amor, entrega, necesarios,
complemento, técnica, suelten, se sueltan,
producción.

Al hacer el análisis de todos los términos que la gente expresó en sus asociaciones, podemos extraer las primeras conclusiones sobre cómo lo biológico es extrapolable a lo psicológico y dar cuenta de las primeras diferencias entre lo masculino y lo femenino o, en términos más generales, entre hombres y mujeres.

Respecto de las palabras que les acabo de señalar es importante destacar las que tuvieron mayor incidencia, lo que a su vez me llevó a hacer una nueva división entre las palabras asociadas a *óvulo* y a *espermio* para obtener las conclusiones que más adelante compartiré con ustedes.

En relación a *óvulo* las palabras más escogidas tenían que ver con el concepto de retener, acoger, espera, menstruación, dolor, vida, amor, solo y lento. Y en relación a *espermio* las más mencionadas por todos, sin distinción de edad, fueron rapidez, soltar o se sueltan, competencia, muchos, meta, avanzan, sexo, eficientes, obstáculos y carrera.

Es importante apreciar cómo ya en esta primera asociación se piensa o se relaciona libremente el concepto de sexo con lo masculino y el concepto de amor con lo femenino. También aparece la palabra dolor asociada a lo femenino. Me permito adelantar, a modo de comentario, que la repercusión más importante de esta asociación se refleja en que culturalmente lo femenino está vinculado al sufrimiento, lo que disminuye las probabilidades de que se valoren los aportes femeninos a la sociedad.

• Solo • Espera • Acoge • Vida • Emoción •

Menstruación • Dolor • Paciente

• No competitivo • Sexo • Amor • Lento •

Receptivo • Maternidad • Mujer • Fertilidad •

Finitos • Buena resistencia de vida • Huevo •

Retención • Retiene • Cuida •

• Rápido • Muchos • competencia • Meta •

Logros • Conquista • Velocidad • Desafío •

Sexo • Poca vida • Egoísta • Sólo les importa

llegar a su objetivo • Sirven en la medida

que salen de quien los genera • Vida • Amor

• Entrega • Necesarios • Complemento •

Técnica • Suelten • Se sueltan • Producción

Capítulo II

Retener y Soltar
Funciones naturales en el ser humano

En el capítulo anterior les mostré las palabras que se asociaban espontánea, libremente y con mayor frecuencia a óvulo y espermio, respectivamente. Entre ellas aparecieron dos que fueron repetidas en casi la totalidad de los casos y siempre estaban asociadas al mismo concepto; se trata de las palabras retener, en el caso de lo femenino, y soltar, en el caso de lo masculino.

Pareciera ser que dentro de lo masculino es natural la liberación y la capacidad de desprenderse y soltar los procesos; de hecho, un hombre no puede generar vida si sus espermios no salen de él, por lo tanto, necesariamente debe soltarlos. Por otra parte, una mujer no puede generar vida si no tiene la capacidad de retener a un bebé dentro de sí misma.

Sin embargo, estas dos funciones al parecer tan estrictamente biológicas pueden traslaparse y extra-

polarse hacia ámbitos que van aún más allá de la bio-
logía misma. Si seguimos con el concepto de "retener"
más afín a la mujer podemos observar el que ella estaría diseñada para retener líquido en mayor proporción
que los hombres. Aquí se nos viene a la cabeza en forma inmediata la temida celulitis, perfecto ejemplo de
un aspecto tan molestoso para nuestra historia femenina y que tendría que ver con la retención de líquido
y grasa en forma inadecuada. La estitiquez femenina se
da en un 80% más que en los hombres y esto, si bien
tiene que ver con hábitos de aprendizaje femenino que
ya les explicaré, también corresponde a una función de
retención. Con el "retener" tienen también mucha relación conductas propias de nuestra vida cotidiana tales
como: guardar alimentos en el refrigerador pensando
que los podremos volver a utilizar; no botar los pape-
les de las carteras o traerlas siempre llenas de cosas
"por si acaso"; guardar cosas en las ropas o dentro de
nuestros closets también "por si acaso" las necesitamos
en algún momento; poner ropa en la maleta cuando
vamos de viaje tanto para el caso de que llueva como
por si hay sol.

Otros ejemplos de esta capacidad retentiva propia de lo femenino tienen que ver con el hecho de insistir, de preguntar, de necesitar chequear los sentimientos de los otros; *¿me quieres?, ¿me extrañaste?, ¿cómo le fue?; pero, cuéntenme ¿qué les pasa?*

También uno retiene cuando colecciona los dibujos de los niños, cuando guarda cosas que a lo mejor ya no sirven, pero que por un valor emocional somos incapaces de desprendernos de ellas. Lo mismo se aprecia en nuestra capacidad para enfrentar conflictos: las mujeres solemos ser más lentas que los hombres en procesar nuestros conflictos, nos cuesta más olvidarnos de ellos y pasar de una etapa a otra; generalmente tendemos a quedarnos como pegadas o adheridas a nuestros conflictos y angustias. Esto hace muy difícil la comprensión desde lo masculino, ya que para los hombres conflicto solucionado es conflicto olvidado y no forma más parte de su repertorio conductual. Por el hecho de retener dentro de sí muchos elementos, las mujeres tienen o aparentan tener mejor memoria para sus procesos afectivos que los hombres.

Esta capacidad de retención, expresada en todas las características que les acabo de mencionar y en muchas otras que seguramente ahora olvido, pero que ustedes podrán identificar en la medida en que revisen su cotidianeidad, se contrapone con la capacidad para soltar con que cuentan los hombres naturalmente y expresan a lo largo de su vida. Siempre están centrados en un objetivo y pueden pasar de un objetivo a otro con mucha rapidez, de alguna manera les es más fácil olvidar los conflictos y seguir avanzando, no piensan en todas las etapas que ese conflicto o ese proceso pueda tener, lo cual los hace avanzar naturalmente más rápido. Siempre están de una u otra manera pensando que no sacan nada con preocuparse de las cosas si no las pueden solucionar en el momento. El pasar de una etapa a otra también es una característica propia del soltar.

No es casual que los hombres sean más rápidos en restablecer relaciones afectivas; esto se debe a que para ellos es más fácil cerrar y dar vuelta la página, así pueden seguir avanzando. Frases de los hombres tales como *cambia la cara, cambia de ánimo; ya, poh, si ya te pedí perdón, para qué sigues enojada,* son expresiones que muestran de una u otra manera esta facilidad que lo masculino tendría para poder avanzar en los conflictos y soltar los problemas para preocuparse de objetivos nuevos.

En síntesis, las acciones que implican **retener** significan a su vez **no dejar de hacer algo** independientemente del agobio que ello me cause. Es muy característico de las mujeres que hacemos cosas, nos quejamos de lo que hacemos y, sin embargo, por alguna extraña razón, no las dejamos de hacer. Eso en el lenguaje masculino es incomprensible. Ellos no entienden por qué hacemos cosas que nos desagradan tanto y que más encima nos tienen quejándonos todo el tiempo mientras las realizamos. El llamar, preguntar, reclamar, quejarse, taimarse, llorar, también son elementos retentivos. Cuando lloro, de algún modo le pido al otro que se acerque a mí, lo retengo hacia mí, lo traigo hacia mí. A diferencia del aspecto masculino, que tiene que ver más con la rabia y con el enojo: al enrabiarme o enojarme lo que hago es alejar al otro de mí, suelto al otro y lo separo de mí de esta manera porque me es más cómodo estar lejos de él.

El buscar, el intentar, el guardar, el insistir, el coleccionar y el no avanzar en los conflictos serían aspectos que tienen que ver con el retener. El soltar, como mencioné anteriormente estaría relacionado con dar vuelta la página rápidamente, y, con no dejar de pensar o aproblemarse por lo que no se puede solucionar en el momento, con el cerrar etapas de vida y comenzar otras en corto tiempo, con sólo pensar en los objetivos.

Otra diferencia que es necesario e importante entender es que la mujer está diseñada para generar vida dentro de ella en términos de todos los espacios psicológicos que tienen que ver con lo interno: la casa, las situaciones del hogar, el cuidado de los afectos; en cambio, el hombre tiene la capacidad de poder generar vida fuera de él, producto quizás de esta misma capacidad para soltar lo que de alguna manera está viviendo.

Hasta aquí nos hemos centrado solamente en lo que por naturaleza pareciera que estaríamos llamados a hacer, es decir: las mujeres a retenerlo todo, a cuidar lo que tienen, a mantener sus situaciones o sus nidos cobijados; los hombres, a soltar y liberarse de los conflictos con el fin de poder seguir avanzando en sus futuros objetivos. Sin embargo, esto no es tan simple, ya que el contar con estas dos funciones —retener y soltar— implica a su vez tareas propias a cada género, las que constituyen el gran aprendizaje que hombres y mujeres tienen que realizar a lo largo de sus vidas.

Para las mujeres este gran aprendizaje evidentemente es soltar y para los hombres este aprendizaje es, a lo largo de su vida, retener y cuidar lo que tienen.

En el caso de las mujeres tienen que aprender a dejar de hacer lo que de alguna manera les hace daño o hacer aquello que aparentemente no les gusta sin quejarse tanto o sin mantener la queja como una constante; sólo así podrán soltar, alejarse, dejar aquello que les hace mal. Tienen que aprender a soltar sus afectos para que cada uno de los miembros de la familia se haga responsable de lo que le corresponde a cada uno y no hacerse cargo ellas de todo lo que pasa dentro de la casa, con los reclamos pertinentes.

También es importante que la mujer suelte en lo sexual, su orgasmo y su goce sexual para poder disfrutar de este aspecto de su vida en forma íntima. En la medida en que una mujer retenga su capacidad sexual o sus sensaciones sexuales más difícil le será poder disfrutarlas. Tiene que ser capaz de soltar sus hábitos alimenticios, su estitiquez, sus emociones, para de alguna manera ir liberando las tensiones que se le generan.

En el hombre, en cambio, es importante avanzar en la función de retener para que aprenda a cuidar lo que tiene cotidianamente, para que sea capaz de entender que las cosas se construyen de a poco y no solamente sobre la base de objetivos logrados, para que sea también capaz de cuidar su casa, sus cosas, de preocuparse de lo que involucran los ambientes afectivos y cuide así mejor sus afectos. Mientras más haya desarrollado un hombre su lado femenino más fácil le será poder retener y cuidar sus afectos y, por lo tanto, hacer feliz a la mujer, a los hijos y a los que lo rodean. Mientras más masculino sea este hombre más desinteresado estará de los procesos afectivos y su concentración estará enmarcada exclusivamente en el logro de los objetivos que él mismo se ha propuesto.

Al preguntarme por qué para las mujeres era tan difícil soltar y por qué para los hombres era tan complicado poder retener llegué a la conclusión, a través de todos los trabajos realizados, de que existen dos principios —femenino y masculino— que gobiernan nuestra existencia y que, de alguna manera, determinan, en el proceso de soltar, por un lado, la dificultad de las mujeres y, por el otro, la facilidad de los hombres.

Digamos, pues, que lo femenino estaría determinado porque a la base de su accionar predomina el **sentirse necesitado**. Esto hace más difícil aún para las mujeres el soltar, ya que si primero necesito sentirme necesaria me será imposible dejar de hacer ciertas cosas porque mi identidad y mi autoestima están principalmente y por desgracia, determinadas en este caso más por lo que hago y no por lo que soy; y sólo en la medida en que haga y porque hago ciertas cosas me siento más querida y útil.

Son ejemplos de lo descrito la sensación que experimentan muchas mujeres después de tener un bebé, especialmente cuando tienen que dejar de dar pecho. Surge entonces el gran conflicto de acabar la lactancia, y esto es un conflicto puesto que pasa por tener que asumir que ya no son ciento por ciento necesarias para ese bebé y que cualquier otra persona podría alimentarlos y darles vida. Similar es la situación del llamado síndrome del nido vacío; en este caso se trata de mujeres que ya no son útiles en términos de trabajo constante y tienen que reencontrarse con una identidad basada ahora en lo que son y no solamente en lo que han sido y hecho durante todos los años precedentes.

Es como si quedaran cesantes. Esta "necesidad de sentirse necesitada" tiene ribetes que incluso dentro de la investigación parecieron un poco humorísticos como, por ejemplo, el que el 70% de las mujeres adultas encuestadas no cerraban totalmente la puerta del baño, esto, debido a la costumbre de pensar que podría ser requerida para algo. Ni siquiera en ese espacio ellas pueden permitirse estar desconectadas o desbloqueadas del resto, del contexto afectivo que las rodea.

En cambio, lo masculino estaría gobernado mayoritaria y principalmente por la necesidad de admiración. Esto dificulta el retener, ya que para poder ser admirado por la persona o el público al que se está seduciendo o encantando, los hombres deben cambiar permanentemente de objetivos; sólo así la observación estará constantemente centrada en esta admiración. A los hombres les afecta mucho más que a las mujeres la cesantía y la impotencia, pues la identidad masculina estaría sobre todo determinada por el aspecto económico y por el aspecto sexual. Entre los escritores, cantantes y otro tipo de artistas es más común encontrarse con que son los hombres los que crean obras anuales o por lo menos cada dos años y en forma regular, a diferencia de las mujeres que pueden demorar mucho más en su producción discográfica o literaria.

A continuación, en el próximo capítulo, me referiré a las diferencias entre lo femenino y lo masculino que detecto a lo largo de mi investigación, pero antes les explicaré y pediré un favor: quiero que cuando lean sobre las características femeninas y masculinas se busquen en ambos lados, es decir, que sean capaces de aventurarse a descubrir dentro de ustedes qué aspectos femeninos y,o masculinos tienen más desarrollados; y cuáles, por lo tanto, son las tareas que tienen que empezar a trabajar en ustedes mismos. Todos poseemos características femeninas y masculinas; todos, hombres y mujeres, tenemos desarrolladas unas características más que otras. Identifíquenlas y traten a su vez de descubrir en sus propias historias lo que los hizo adoptar esas características y, por ende, cuál es la tarea que tienen por delante.

Si como mujeres han tenido la suerte de poder desarrollar más y mejor sus aspectos femeninos, sin duda alguna y gracias a que la vida es un círculo perfecto, van a tener que encontrarse con sus partes masculinas, pues en ellas residen principalmente la toma de decisiones y el poder ejecutarlas de una u otra manera.

Ahora, si ustedes mujeres, por las dificultades que han tenido en la vida han debido desarrollar más los aspectos masculinos de la personalidad y ser desde pequeñas muy masculinas, por supuesto que tendrán dificultades para desarrollar lo femenino, pero les aseguro que en algún momento de la historia deberán encontrarse con esa parte femenina que tuvieron que postergar debido a las condiciones de vida.

Lo mismo para los hombres. Si ellos han desarrollado extremadamente sus aspectos masculinos, en algún momento de su historia van a tener que encontrarse con lo emocional, con los procesos de la vida y con lo afectivo en forma natural. Por otra parte, si han sido muy femeninos, en algún momento deberán desarrollar fortaleza y características masculinas con el fin de completar su desarrollo hacia una integración que les haga mucho más felices y más completos.

Los invito ahora, hombres y mujeres, con todo cariño, a leer este tercer capítulo para que puedan descubrir paso a paso cuáles son las diferencias de esta maravillosa naturaleza humana que nos hace tan distintos y tan complementarios, y en función de la cual podamos lograr cada día mayor sabiduría y más felicidad.

Capítulo III

Femenino y Masculino
Diferencias psicológicas encontradas

Estamos ante una realidad que traspasa fronteras, pero que —para efectos de una mayor comprensión— delimitaré a lo estrictamente adulto, pues los adolescentes y niños se mueven en realidades psicológicas absolutamente diferentes, casi opuestas a nuestra realidad de adultos.

*1. La primera gran diferencia tiene que ver
con el motor que nos lleva a actuar*

El motor que mueve a las mujeres y a lo femenino está principalmente en su vida afectiva. Su trabajo consiste sobre todo en tratar de mantener sus relaciones afectivas en buen estado, esto quiere decir que una mujer está bien en la medida en que la gente que ella quiere está bien con ella. En cambio, lo masculino se encuentra bien en la medida en que logra los objetivos y las metas que se propone. Esto plantea que lo masculino estaría determinado mayoritariamente por el logro de las metas y por el logro de una u otra forma de los objetivos que se ha ido proponiendo a lo largo de la vida.

2. Lo femenino valora más el proceso; lo masculino, los objetivos

La diferencia entre los motores genera una segunda divergencia que no es menos importante y que define gran parte de las problemáticas que tenemos hombres y mujeres en nuestras discusiones cotidianas. Se trata de que la mujer valora mucho más los procesos que los objetivos de las cosas y los hombres, en cambio, valoran más los objetivos y no toman tanto en cuenta o no consideran tan relevantes los procesos emocionales.

Veamos algunos ejemplos en nuestra vida cotidiana que dan cuenta de estas valoraciones diversas: si vamos al supermercado con un hombre él —mayoritariamente— tenderá a ir solamente a los productos que le hacen falta; la mujer, por su parte, va a recorrer todos los pasillos. Otro ejemplo de esto mismo es que si yo le pido a un hombre que me acompañe a una multitienda él irá exclusivamente a esa multitienda sin considerar el clásico "vitrineo" que las mujeres tendemos a hacer en forma tan grata y que ellos, los hombres, sentirán como una verdadera estafa si no les advertimos que pasaríamos por esos distintos locales. Pero cómo íbamos a hacer una advertencia sobre algo que para nosotras resulta obvio, natural, propio del hecho de ir a la multitienda... Todo lo que tiene que ver con la capacidad de que las cosas se vayan dando de a poco, con disfrutar los momentos que se están viviendo, con el hecho de no tener la obligación de llegar a los lugares lo antes posible sin ni siquiera ir al baño —que sería lo propio del criterio masculino—, es propio del criterio femenino, que busca disfrutar de los distintos lugares y los distintos pueblos por los cuales se va pasando sin tener la urgencia de llegar lo antes posible a un lugar determinado.

Debido a esta mayor capacidad de estar en los procesos sin la urgencia del logro es que a una mujer no le sirve o le sirve menos que un hombre la trate mal de lunes a viernes y al final de la semana la agasaje

con un regalo. Puede que el regalo lo aproveche igual,
porque somos mujeres inteligentes, pero ese regalo no
reemplazará nunca la sensación de placer que causa el
que ese hombre la haya tratado bien todos los días. De
aquí también la importancia de comprender que para
pasar una buena noche con una mujer necesariamente
se le tiene que dar un buen día, y un buen día comienza en el momento en que se despierta, pudiendo
empezar este hombre a retener afectivamente a esta
mujer para cuidarla a lo largo del día. De hecho, en
el curso de esta investigación pudimos constatar que
si un hombre trata mal a una mujer tres horas antes
de que intente seducirla, ella tiene menos capacidad
de respuesta sexual que una mujer que ha sido bien
tratada durante todo el día.

Pareciera ser muy relevante para la identidad femenina el cuidado de los tiempos, el entender las cosas
de a poco, el poder cultivar, decorar o cambiar ciertas
situaciones dentro de la vida para ir disfrutando de ella
en las etapas y en los procesos que se van viviendo;
en cambio, para los hombres es mucho más lógico
el disfrutar sólo cuando estos objetivos están siendo
logrados. Por eso también es que para los hombres

es mucho más importante el estar sometidos a una cesantía o una impotencia, ya que los objetivos que dan el trabajo y la potencia sexual desaparecen y con ellos la identidad masculina pierde el norte. Entender esto permite asimilar mejor el hecho de que la fuerza femenina en países como los nuestros ha sido capaz de mantener muchos hogares, pues como la mujer valora el proceso, el paso a paso, ella puede sustentar a una familia vendiendo productos por catálogo; en algún momento, por ejemplo, en otro momento, yendo a vender chalecos; en otros, haciendo pan y, así, sumando las distintas cantidades, los distintos reembolsos que obtiene por esos trabajos chiquitos logra mantener a su familia. Ello, mientras el hombre estará buscando o esperando un puesto o un objetivo laboral que le brinde estabilidad.

Esta capacidad de ir de a poco, de valorar los pasos se refleja también en el comportamiento sexual, caracterizándose la mujer por apreciar más y mejor el antes y el después que el durante, que es lo que más tiene que ver con la penetración, centrado en un objetivo masculino, y no así los procesos anteriores y posteriores que indudablemente tienen una valoración

femenina importante. En este sentido es fundamental
entender que la dimensión, la valoración de los procesos es algo que se ha ido incorporando a la visión laboral y ésta cada vez entiende mejor que no basta con
fijar la atención en el resultado y en que este resultado
constituya espléndidas ventas sino también en el cómo
se logran estas altas ventas para poder mantener, por
ejemplo, a los clientes, ya que en una empresa no basta
solamente con atender los números al final de un ciclo
sino también la manera como se llegó a esos números.
Esto, me atrevería a decir, es una consecuencia de la
incorporación del elemento femenino en nuestro proceso económico y social a nivel general.

3. Lo masculino separa, ordena.
Lo femenino reúne, junta

Una tercera diferencia importante entre lo femenino y lo masculino es la dificultad que tendríamos las
mujeres o que tendría lo femenino para poder separar
las cosas. Las carteras son un estupendo ejemplo de
cómo a las mujeres nos cuesta tanto mantener todo
separado y ordenado. Por lo general en una cartera de

mujer se puede encontrar desde un remedio hasta un útil escolar de uno de sus hijos, y esto porque a nivel de estructura mental pareciera que nos cuesta mucho más poder separar y poder dividir nuestros procesos afectivos en distintos compartimentos; aspecto que los hombres o lo masculino normalmente tienen muy bien desarrollados: en un bolsillo el celular, en otro bolsillo el pañuelo, en otro bolsillo la billetera. Así pues, tienen todo dividido, lo cual es un buen reflejo de cómo funciona su estructura mental. Ellos funcionan mejor separando en casilleros o en "cajones mentales" las distintas áreas emocionales. A su vez, esto les permite poder soltar de manera mucho más fácil y rápidamente, ya que cuando están metidos en un solo casillero funcionan en un determinado objetivo. Para las mujeres, en cambio, esto es muy difícil de lograr, pero no imposible, y ahí se origina la mayor parte de la culpa femenina de salir a trabajar, pues la mujer se traslada a su trabajo con los hijos dentro de ella y con lo que de algún modo deja dentro de su casa. El hombre, por su parte, tras cerrar la puerta de su casa se conecta inmediatamente con su trabajo sin trasladar sus afectos a otros lugares. El cerrar unas puertas y abrir otras otorga a los hombres una mayor capacidad de concentración y de rapidez en los procesos ejecutivos.

Esta dificultad de las mujeres para poder separar las cosas y esta facilidad que de una u otra manera tienen los hombres para funcionar en compartimentos también se refleja en el aspecto comunicacional, al interior de las relaciones de pareja. Cuando un hombre critica a una mujer como mamá diciéndole, por ejemplo, que ha sido muy permisiva con sus hijos, solamente le está hablando y se está refiriendo a la mamá o a la madre de sus hijos, no a su mujer, por lo que para este hombre es absolutamente posible tener o llegar a tener relaciones sexuales con esa mujer a los pocos minutos de haber generado la discusión sobre el rol de mamá. Pero, como contrapartida, tenemos que para las mujeres es muy difícil digerir, en primer lugar, la crítica y, en segundo, comprender que alguien que nos dijo que éramos ineficientes o que estábamos haciendo las cosas mal quiera por otro lado seducirnos y estar física, sexual o amorosamente con nosotras. Para entender esta situación hay que visualizar que el hombre se ha relacionado sólo con la mamá, no con la mujer. De paso, sirva también este ejemplo para explicar por qué para los hombres es tan importante la dimensión de sexualidad dentro de la relación de pareja, pues para ellos es el único y gran momento en el cual sienten que están teniendo a una mujer. En otras circunstancias ellos están con: la dueña de casa, la que comparte los gastos, la madre de sus hijos, la compañera social; a su mujer solamente la experimentan y la pueden percibir y sentir cuando están teniendo relaciones sexuales con ella. Esto es de fundamental importancia que las mujeres lo comprendamos y seamos capaces de asumirlo, porque generalmente nuestra lectura frente a esta premura sexual masculina es que ellos sólo nos quieren para eso, y no es así: los hombres necesitan del contacto con lo femenino, con nosotras en distintos ámbitos, pero la dimensión de sentir a su pareja pasa necesariamente por el contacto de la sexualidad.

Sí, lo anterior es tan verdadero que no es un error decir que lo único que diferencia a una pareja de amigos de una pareja real es la vida o la dimensión de la sexualidad y del erotismo; todo lo demás se puede hacer con un amigo: puedo vivir con un amigo, puedo cuidar niños con un amigo, puedo mantener una situación económica con un amigo, puedo viajar con él, pero no puedo tener erotismo ni vida sexual porque ahí pasa de inmediato ha evaluarse esta dimensión como una dimensión de pareja. Por lo tanto, la mujer debe revalorizar la parte sexual y comprender que es un aspecto afectivo de lo masculino el necesitar de la sexualidad, y esto no solamente por lo físico de la descarga sino en relación, y en forma importante, con el reencuentro con la mujer que él ama y a la cual necesita expresarle afecto para poder de alguna manera relacionarse mejor con ella. Por todos estos ingredientes es que el hombre suele sentirse mucho mejor, de mejor ánimo, con mejor disposición, más flexible, después de haber tenido un buen acto sexual, lo que claramente no sucede cuando ese acto sexual es postergado o si la parte femenina lo enfrenta a una fuerte tendencia a distanciarlo.

Es también una consecuencia de funcionar en compartimentos que los hombres no mencionen, por ejemplo, que han extrañado a sus mujeres mientras están trabajando. Para ellos durante el horario laboral uno como mujer no existe, no está presente dentro del espacio psicológico. Mientras más femenino sea ese hombre y logre desarrollar esos elementos más fácil le va a ser, por lo tanto, incorporar elementos familiares y afectivos o de pareja dentro de su rutina laboral, pero cuanto más masculino sea este hombre más difícil será que incorpore o recuerde ciertas situaciones de índole emocional.

A una gran mayoría de nosotras nos ha tocado vivir el enojo de un hombre al que, camino a casa, se le pide algo que le significa cambiar la ruta que llevaba; o el sentir que al llamarlo a la oficina se muestra muy distante o muy frío y poco cariñoso con nosotras. Esto se debe a que él está funcionando en otro compartimento, en otra estructura mental y, por lo tanto, no tiene la capacidad de conectarse porque su estructura es así, no porque sea malo o porque no cuente con esa capacidad, simplemente su concentración está funcionando en ese plano de rendimiento y ejecutividad que tiene que ver con lo laboral, ése y no otro es el casillero que está utilizando.

4. Lo masculino: monofocal
Lo femenino: multifocal

La cuarta diferencia entre lo femenino y lo masculino tiene que ver con una capacidad estructural o neurológica distinta entre hombres y mujeres. Se ha descubierto que los hombres tienen la capacidad de concentrarse con mayor facilidad en una sola cosa; en cambio, las mujeres tenemos lo que se entiende como una capacidad multifocal a nivel neurológico. Esto no debe dar a entender como que por el hecho de ser mujer se tenga un plus o una ventaja y, por ende, la monofocalidad masculina sea un handicap en contra para los hombres. La verdad es que si bien la multifocalidad puede ser un aspecto muy positivo dentro de lo femenino, ya que otorga el poder de concentrarse en distintas cosas a la vez —no es poco frecuente ver a mujeres viendo televisión, planchando, hablando por teléfono y al mismo tiempo revisando las tareas de sus niños—, es asimismo causa de gran cansancio y agotamiento. Esto también dificulta el que la mujer pueda soltar, pues al estar concentrada en varias cosas le es mucho más difícil discriminar y discernir qué debe dejar de hacer en ese momento y con qué es mejor continuar, dado que no está por completo atenta a todas esas actividades. Los hombres en general pueden ver televisión, pero no les gusta hablar y ver tele al mismo tiempo, pues esto les significaría desconcentrarse de una de las dos cosas para ser ciento por ciento eficientes: o ven televisión o hablan, si no es así se van a sentir y se mostrarán molestos o enojados.

Mientras más haya desarrollado un hombre su lado femenino más y mejor será capaz de poder atender dos o más cosas a la vez, pero su tendencia será siempre a concentrarse en un solo punto y no en varios al mismo tiempo. Esto explicaría en parte el que un hombre que vive en condiciones habitacionales más precarias, pueda tener relaciones sexuales con su mujer mientras sus hijos están próximos; en ese momento él estará principalmente concentrado en el aspecto sexual o en el hecho de estar con esa mujer. Para la mujer esto es mucho más difícil ya que le es imposible desconcentrarse de los ruidos o de otros estímulos para conseguir el relajo o el desbloqueo que le permita proceder satisfactoriamente en el plano sexual. En fin, es muy extensa la lista de ejemplos que muestran lo difícil que es para las mujeres focalizarse en un solo aspecto y lo fácil que es para los hombres realizar esto mismo.

5. Lo femenino resuelve los conflictos hablando; lo masculino, en silencio

La quinta diferencia relacionada con lo femenino y lo masculino es que la mujer necesita hablar para resolver sus conflictos. Comprender esto tiene gran relevancia, ya que en este punto se origina la necesidad de las mujeres de conversar. Y esto que de alguna manera muchas veces es interpretado por el mundo masculino como propio de la ociosidad, al evaluarlo desde un punto de vista afectivo vemos cuánto incide y cuán relevante es respecto de la resolución de los conflictos. La mujer necesita transmitir los procesos por los que está pasando, pues al mismo tiempo va ordenando su cabeza y obteniendo posibles soluciones. Lo masculino, en cambio, sólo habla cuando tiene los conflictos resueltos; es decir, va a llegar de una u otra manera a contar sus situaciones en la medida en que cuenta los éxitos o los fracasos, pero ya con carácter de definitivo. En cuanto mejor desarrollado tenga un hombre este aspecto femenino más capaz será de transferir y de transmitir los intermedios de los conflictos o de los procesos afectivos que está viviendo; de no ser así, solamente contará los resultados.

Es frecuente que al preguntar a un hombre qué le pasa (pues uno ve que está con cara larga) se obtenga por respuesta un "nada". Y seguirán respondiendo nada, porque no transmitirán lo que les ocurre hasta que no hayan solucionado el conflicto. Esto es muy importante en la comunicación entre parejas, ya que muchos de los conflictos se generan porque las mujeres sentimos que los hombres, al no hablarnos de sus conflictos, no nos están haciendo sentir necesarias; pareciera —a los ojos de lo femenino— que ellos pueden funcionar solos y, por lo tanto, se daña el principio psicológico fundamental de "sentirnos necesitadas". Pero ante esta realidad es más recomendable que las mujeres o lo femenino aprendan a soltar y dejar a los hombres —o lo masculino— solos para que resuelvan sus conflictos y los transmitan en la medida en que sientan que quieren contar o compartir lo que les pasa y no bajo la presión y la exigencia de una pregunta femenina; ya que, al final, efectivamente les terminará pasando algo, esto es, se van a enojar con nosotras, producto de que nosotras insistimos tanto en esta pregunta, en el qué te pasa. Una consecuencia más de esto es que típicamente la mujer interpreta ese enojo como una comprobación de que algo les pasa. Esto se parece mucho a la búsqueda de una especie de profecía autocumplida, generada, claro, por nosotras mismas.

Frente al tema de "sentirse necesaria" —a propósito de los principios básicos femeninos y masculinos— es importante hacer hincapié en que lo femenino, en este punto, se maneja bastante a menudo en un doble estándar, esto quiere decir que tenemos dos mensajes o dos deseos que se nos contraponen y que de repente tienen un peso psicológico más o menos igual. Veamos algunos ejemplos: cuando una mamá lleva por primera vez a su hijo al jardín su mensaje explícito es que ojalá ese niño no llore cuando entre, pero si efectivamente ese niño no llora cuando entra e ingresa feliz a su sala, quien va a llorar es la mamá, porque va a lamentar que a ese niño le haya sido tan fácil desprenderse psicológicamente de ella. Sentirá que ya no es necesaria para ese niño. Cuando una mamá o una mujer deja su casa por un rato para ir por algo que es sólo en beneficio de ella suele ocurrir que circule ella misma por un conflicto doble: por un lado le gustaría que al regresar a su casa esté todo perfectamente bien y funcionando, para realmente sentir que esa familia la quiere y le permite esos espacios de relajación; pero, por el otro lado, es más frecuente aún que esa mujer encuentre a su regreso que no todo está funcionando tan bien o de la manera que ella estima lo mejor, situación que a ella le servirá para comprobar que efectivamente es necesaria.

Las mujeres utilizamos continuamente las siguientes dos frases para justificar el hecho de hacer todo lo que hacemos y no dejar de hacerlo, éstas son: *nadie hace las cosas mejor que yo* o, lo que es peor, *si no las hago yo, no las hace nadie*. Cualquiera de estas dos frases constituyen argumentos de los cuales estamos absolutamente convencidas y frente a los cuales tanto los hombres como el resto de la familia, evidentemente, no van a hacer nada. Un hombre no va a resolver algo que ya está, supuestamente, resuelto, o algo que sepa ya está haciendo su mujer o su mamá o su hermana o su abuelita o su empleada.

Ante esta situación que se repite en forma majadera y sin interrupciones es fundamental comprender que si primero las mujeres no sueltan, al hombre le será muy difícil aprender a retener. Es de responsabilidad individual dejar de hacer cosas para que el o los otros se hagan responsables de lo que les corresponde, y no seguir educando y formando a nuestro alrededor una generación de inútiles tras una mujer agotada, que se queja todo el día de lo que hace, pero sin dejar de hacer nada de lo que está haciendo.

6. La rabia de los hombres y la tristeza de las mujeres

En el aspecto emocional aparece la sexta diferencia entre lo femenino y lo masculino; esta diferencia tiene que ver con que al parecer lo femenino está entrenado para entristecerse por todo y lo masculino está entrenado para enrabiarse por todo.

Cuando me referí a lo que implican los conceptos de soltar y retener escribí que uno de los ejemplos de retención o de conducta retentiva tenía que ver con los llantos, con llorar, ya que con éstos se busca llamar la atención del otro para que venga a mí y me ayude, me consuele, busco retener su atención; en cambio la rabia hace que uno se suelte del otro, me desprendo del otro para que se aleje de mí y esto tiene que ver, evidentemente, con un gesto mayoritariamente más propio del acto de soltar.

No es poco frecuente observar que los hombres pueden ser mucho más cariñosos como abuelos de lo que fueron como padres, producto fundamentalmente de que han ido incorporando elementos femeninos a lo largo de su vida; pero, por sobre todo, está el hecho de que el objetivo que tenían con los hijos no era precisamente quererlos o regalonearlos si no más bien educarlos; en cambio con los nietos su objetivo es más bien quererlos o regalonearlos. Es por esto también que muchos hombres se ponen más llorones a medida que envejecen, ya que van tomando contacto con sus emociones, pues sus facetas productivas o de logros externos van disminuyendo y dejan el espacio necesario para poder valorarse en términos más emocionales.

A esta capacidad de la mujer para lograr entristecerse por todo se contrapone la necesidad de aprender también a enrabiarse y a enrabiarse solamente, es decir, a experimentar la rabia sin incorporar el llanto. Seguramente a muchos de los que están leyendo este libro —hombres y mujeres— les ha tocado vivir la experiencia de discutir con una mujer y que en el momento en que ésta se pone a llorar la discusión pierde todo tipo de efectividad o de posibilidad de ser resuelta desde el punto de vista masculino; para los hombres, incluso, ésta es causa de la imposibilidad absoluta de seguir conversando, pues cuando esa mujer o esa persona empieza a llorar, el objetivo será tratar de eliminar el llanto y no precisamente el de solucionar el conflicto que lo generó.

Esta diferencia explica también el que los hombres puedan enrabiarse con gran facilidad y dejar de estarlo o dejar de pertenecer a ese conflicto en forma mucho más rápida, ya que la rabia es un elemento que tiende a desaparecer en la medida en que se descarga; en cambio, la pena, la tristeza, es un sentimiento bastante "adhesivo", cuesta que se desprenda de nuestra vida emocional, lo que dificulta otra vez el que las mujeres podamos soltar las peleas o la discusión que la haya generado.

7. Los tiempos personales marcan otra importante diferencia

Quizás uno de los puntos más relevantes en lo concerniente a las diferencias psicológicas entre lo femenino y lo masculino y que mayor repercusión tiene en la infelicidad de las mujeres es la diferencia que tenemos hombres y mujeres en el ejercicio de los tiempos personales. ¿Esto qué significa realmente?, significa que a las mujeres nos cuesta mucho darnos tiempo para nosotras mismas, sin que esto venga acompañado de un factor culposo, el que a su vez y de alguna manera tienda a dañar nuestro grado de satisfacción en el proceso vivido. En cambio para los hombres es muy fácil ejercer tiempos personales y para ellos darse esos tiempos está incorporado incluso culturalmente como un derecho básico.

A nadie se le ocurriría interrumpir a un hombre mientras duerme siesta o mientras ve televisión, ya sean noticias o un partido de fútbol o mientras está en el baño. No obstante, está permitido, culturalmente existen códigos inconscientes, que apoyan el que los hijos despierten a la mamá únicamente o de todas maneras antes que al papá. Esto está totalmente validado por el código femenino más habitual.

Lo mismo pasa con el tema de entrar al baño. Si en Chile las mujeres somos estíticas, en el 80% de los casos es porque tenemos pésimos hábitos y un peor aprendizaje de lo que implica y significa ir al baño;

hasta al baño vamos rápido y por eso de alguna manera no hemos logrado evolucionar con nuestro colon irritable y con nuestras alteraciones gástricas. No son nada de escasos los ejemplos en que las mamás van al baño con los hijos para que éstos no estén solos o simplemente para evitar que se planten a llorar junto a la puerta, convirtiendo ese momento en una instancia de conversación. También, claro está, nuestro colon y nuestras alteraciones gástricas tienen que ver con ese mal entrenamiento emocional que no nos permite decir lo que sentimos y sobre todo expresar la rabia.

Esa capacidad masculina y, por lo general incapacidad femenina, de manejar los tiempos tiene una alta repercusión en el nivel de satisfacción de la vida cotidiana. En la medida en que me permito tener tiempo para mí, el grado de satisfacción con respecto a la vida que llevo debería ser mayor, así como menor la tendencia a responsabilizar al otro de los tiempos que él sí se permite. En general las mujeres cometemos el error de castigar o retar a los hombres cuando los vemos ejercer sus tiempos personales, y esto nada más que porque nosotras no somos capaces de generar esos mismos tiempos o esos mismos espacios en beneficio nuestro, culpándolos a ellos de algo que están haciendo bien y que, claramente, debemos imitar. Las mujeres que no cuenten con esos espacios personales o los hombres que no cuenten con esos espacios personales tienen la tarea de descubrirlos. No existe en el ámbito femenino ninguna actividad que se compare a la satisfacción que la gran mayoría de los hombres experimenta cuando ve un partido de fútbol o cuando se juntan a compartir alguno de esos partidos.

Es importante que las mujeres aprendamos a tener tiempos personales para que de alguna manera no caigamos en la tendencia irresistible de culpar a los hombres a nuestro alrededor de los tiempos que ellos sí se permiten en desmedro nuestro y con esto aparecer como las víctimas, como quienes siempre estamos dando lo mejor a los demás y que, en el fondo y para colmo, a nosotras nadie nos lo agradece.

Ahora bien, incluso cuando nos hacemos el tiempo para nosotras necesitamos del reforzamiento externo. Esto, claro, para los hombres es otra situación incomprensible, pues en diálogo sobre este punto el discurso masculino suele afirmar y reclamar que por qué si nosotras estamos haciendo algo que más encima queremos hacer, requerimos además de un refuerzo. Pero ocurre que sí, que es verdad que nosotras necesitamos sentir explícitamente ese apoyo porque sólo así constatamos que nuestra pareja o quienes nos rodean son capaces de valorar nuestras experiencias y de esta manera podemos seguir haciendo nuestras cosas más contentas y ser más efectivas en nuestros propósitos.

Como dije anteriormente la mujer tiende a vivir los conflictos de manera retentiva o muy lenta y, por lo tanto, le cuesta mucho salir de un conflicto para entrar en otro o, simplemente, para dejar de estar en un conflicto. En general las mujeres nos demoramos mucho, nos complicamos entre nuestras penas, nuestras rabias, entre lo que le damos sentido y aquello a lo que no queremos dárselo, dificultándosenos la capacidad de avanzar. En cambio al hombre, por contar con una mayor capacidad para soltar, se le hace mucho más fácil desprenderse de los conflictos y pasar de una etapa a otra. Frases como: *cambia la cara; ya, poh, si ya te pedí perdón, mi amor, qué más quieres que haga para poder estar bien; o, a ti no hay cómo tenerte contenta*, ejemplifican la dificultad de las mujeres para avanzar con rapidez en sus conflictos y la facilidad que tienen los hombres en el proceso de superar los conflictos.

Otra diferencia que ya mencioné, pero a la que quisiera referirme en forma más específica es la necesidad de la mujer de estar acompañada cuando está mal. Esto significa que nosotras necesitamos a nuestros hombres junto a nosotras, tratando de acogernos y no dándonos soluciones frente a los conflictos. Por su parte, el hombre necesita estar solo cuando está aproblemado para poder resolver internamente sus conflictos y posteriormente mostrar sus logros o sus objetivos resueltos. Por lo dicho hasta aquí es que los hombres serán más proclives a dejarnos solas cuando nos vean mal, porque eso es lo que les gusta que hagan con ellos; en cambio, nosotras necesitamos que nos acompañen para poder superar nuestro conflicto y, ojalá, que nos permitan hablar para poder descargar nuestras dudas, reflexiones e intimidades emocionales. Teniendo claros estos dos tipos de comportamientos que responden a su vez a dos formas distintas de enfrentar los conflictos, hombres y mujeres pueden comprender y satisfacer mejor las necesidades de uno y otra, sin entrar en una espiral de desencuentros e incomprensiones y, mejor aún, promover los espacios y las instancias para que uno y otra puedan salir victoriosos de sus propios conflictos.

Aprovecharé este punto para dar un pequeño, pero importante dato: cuando una mujer dice tengo pena, tengo rabia, estoy triste o no sé lo que me pasa, ando rara —aspecto bastante frecuente en la estructura psicológica femenina—, no es necesario que los hombres nos pregunten siempre el porqué. Cuando se pregunta el porqué la mujer está obligada a dar una razón y es muy difícil racionalizar un sentimiento o una emoción que se está teniendo; además, cuando damos una razón esa razón puede ser discutible o no válida para la otra persona, con lo cual la discusión cambia o da un giro que va desde mis sentimientos o desde mi emoción hacia la intelectualización de ese mismo sentimiento y esa intelectualización sí puede ser discutible.

Nadie me puede discutir que yo tenga pena y decirme que no es cierto que la sienta, pero sí me pueden decir que no es válido que yo esté triste por haberme peleado con mi mamá, porque probablemente ese hombre lo dirá así: pero tú sabes cómo es tu mamá. En ese momento, entonces, seguramente me veré obligada

—aun cuando esté entristecida con mi mamá— ¡a tener que defenderla! En ese preciso minuto la discusión pasa a ser sobre mi mamá y no sobre la tristeza que experimento. Esto a su vez lleva a que de una u otra manera me sienta como mujer descalificada o rechazada en mi punto de vista emocional, pues no me parece que mis emociones sean acogidas por ese hombre en ese momento y de acuerdo a como las estoy sintiendo.

Algo similar ocurre cuando uno expresa alguna sensación de agobio o cansancio, pues el hombre suele comenzar a dar las correspondientes explicaciones de por qué uno está agobiada o cansada. La sensación de agobio lleva a una explicación y esa explicación tiende a ser continuamente rebatida por la mujer, generándose la típica discusión que, claramente, no termina por resolver la sensación de agobio y de cansancio. En este sentido la estructura femenina es muy básica y sólo le basta con un vaso de jugo, con una caricia en el pelo, con una comida en la cama para poder resolver el conflicto.

Lo señalado hasta aquí es muy aconsejable de tener en cuenta en la operativa de la solución de los conflictos entre hombres y de mujeres.

La conducta lúdica es otra diferencia que marca muy especialmente los comportamientos femenino y masculino. En general las mujeres dejamos de jugar a muy corta edad, esto quiere decir que si una niñita de cinco o seis años juega o está jugando a las muñecas ya no está jugando a las muñecas, pues han de saber que esa muñeca ya no es una muñeca: es Florencia, es Andrea, es Catalina; tiene nombre y de alguna manera ese juego puede experimentarse como una obligación o como una tarea de aprendizaje, ya que si a esa niñita se le daña o se le cae esa guagua, va a sufrir como si fuera una hija, y eso deja por supuesto de ser una conducta de juego. En una conducta de juego me puedo equivocar y nada pasa. Cuando la niñita está jugando a las tacitas, tampoco a esa edad —cinco o seis años— juega a las tacitas ya que tiene que colocar el cuchillo, el tenedor al lado y en el orden como ha visto que lo hacen o le han enseñado y en la medida en que está obligada a hacerlo bien ya deja de ser una conducta lúdica. Todo esto aun en el entendido de que cualquier conducta lúdica involucra un aprendizaje. Esto hace clave observar la seriedad con la cual las niñitas juegan a este tipo de situaciones.

Los hombres, en cambio, nunca dejan de jugar; se dice que "ellos cambian los autos chicos de cuando son niños por los autos grandes cuando son adultos". Es divertido mencionar que en la investigación realizada se descubrió que a la única cosa que un hombre le podría ser ciento por ciento fiel en la vida, sin cambiarse jamás de una situación a otra, era a un equipo de fútbol. Los hombres que participaron declararon que bien podrían cambiarse de partido político, de mujer, incluso de hijos, pero su equipo de fútbol no lo cambiaban así estuviera en cuarta división. Esta conducta que de una u otra manera parece un tanto cómica refleja la valoración que el hombre o la estructura masculina le da al juego como un elemento de salud mental y que, por supuesto, a las mujeres nos falta.

Lo femenino y lo masculino también se diferencian en sus respectivas capacidades para externalizar la felicidad y el deseo sexual, en el caso de las mujeres; y la marcada tendencia de los hombres a internalizar la felicidad y sus logros. Con esto me refiero a lo siguiente: el hombre encuentra la causa de su felicidad o infelicidad, generalmente, en los obstáculos que ha podido encontrar en el camino para llegar al logro de sus objetivos; la mujer, por su parte, responsabiliza a otras personas de sus infelicidades o sus felicidades. Esto no es ajeno al deseo sexual ya que las mujeres tienen la sensación a nivel cultural de que este deseo no es algo que les pertenezca sino que es algo despertado por el otro, y ese otro si lo despierta bien puede de una u otra manera hacerla disfrutar; de no ser así, las

---

* Cuando me refiero a "externalizar" e "internalizar" no estoy atendiendo a procesos psicológicos de alta complejidad a través de los cuales se elabora la información proveniente desde dentro o desde fuera del ser humano. Sólo utilizo estas palabras para identificar lo que podría asemejarse al "locus de control", puesto afuera o adentro de las personas. Sin embargo, la experiencia me indica que cuando se les explica a las personas en qué consisten estas palabras las usan con total facilidad.

mujeres expresan que esa persona o ese hombre no las hizo disfrutar sexualmente debido a una incapacidad de él para hacerlas gozar.

El deseo sexual no baja, el deseo sexual no me llega, el deseo sexual no me viene. Éstas son las tres frases más comúnmente empleadas por las mujeres dentro de la consulta. Como podrán apreciar, para ellas se trata de algo absolutamente externo y ajeno de sí mismas, por lo tanto, difícilmente autogenerable. Ahora bien, el deseo sexual existe en las mujeres, en nuestra naturaleza y es algo grato de experimentar, pero mientras no nos hagamos responsables de ese deseo, difícilmente vamos a desarrollar y vivenciar una sexualidad madura, basada en la responsabilidad.

Es común observar respecto de lo dicho en el párrafo anterior que cuando un padre se entera de que su hija ha iniciado la vida sexual le echa la culpa al pololo, al "andante" o a la persona que actuó como pareja en ese proceso. Esto ocurre principalmente porque para los papás es muy difícil percibir, evaluar, concebir a su niñita, a esa hija de él, ni más ni menos que excitada sexualmente. En ambientes religiosos debería ser más fácil indicar y conseguir la postergación de la iniciación sexual: lisa y llanamente habría que decirles que se "aguanten", esto es, que tengan la fuerza de voluntad para esperar a estar lo más listos posibles para asegurar el comienzo de una etapa nueva y feliz. Contar con mayores grados de madurez será siempre apostar a algo más seguro. Esto debiera exigirse por igual a niños y niñas.

Otras frases como: "yo soy así porque mi mamá no era cariñosa conmigo", "yo soy así porque siempre mis papás quisieron más a mi hermana que a mí", "yo soy así porque tú no me preparaste sexualmente y como no eres cariñoso yo no tengo deseo sexual", "yo soy así con mis hijos porque ellos son mal agradecidos y porque objetivamente no reconocen todo lo que yo hago por ellos", reflejan esta causalidad "externalista" en las mujeres a través de la cual explicarían el origen de la infelicidad por culpa de los otros. Esta postura ha facilitado el que las mujeres adoptemos una posición y su correspondiente visión de víctimas frente a las situaciones, sin hacernos responsables nosotras de las causales de estos conflictos.

En el próximo capítulo compartiré con ustedes otra importante diferencia, que es posible determinar con mayor claridad, pues responde a un funcionamiento distinto a nivel psiconeurológico, como es la programación más visual de los hombres que los lleva a procesar la información que viene desde afuera de forma distinta a como lo hacen las mujeres, quienes cuentan con un procesamiento más marcadamente auditivo y sensorial de los procesos psicológicos que experimentan.

Capítulo IV

El privilegio del ver masculino
y el privilegio del sentir femenino

Producto del tipo de respuestas que las mujeres del taller daban a algunas interrogantes que les hacía, surgió la inquietud de hacer una nueva pregunta (primero a las chicas): "¿cómo creen ustedes que se van a dar cuenta o que van a saber que están enamoradas?" La respuesta era dada a coro y siempre la misma: "lo vamos a sentir, tía".

Luego, pregunté al grupo de mujeres adultas: "¿cómo y cuándo saben o sabrán ustedes que tienen un orgasmo?" la respuesta, como la de las niñas, fue: "lo vamos a sentir".

A propósito de las reiteradas respuestas en orden a "sentir" me entregué a la tarea de investigar por qué era tan fácil para las mujeres dar y quedarnos con una respuesta en relación al sentir, por qué una respuesta de este tipo nos deja perfectamente satisfechas para entender y manejar la realidad. Me interesaba sobremanera determinar en alguna medida o forma de dónde podía surgir esta tendencia a internalizar afectivamente todos los aprendizajes y, por otro lado, en el caso de lo masculino, a externalizarlo todo tanto desde el punto de vista de lo que era la visión como desde los hechos objetivos de la realidad.

Biólogos, estudiosos de la forma de adquisición de la información y especialistas en programación neurolingüística coinciden en responder a esta cuestión aludiendo al hecho de que pareciera ser que las mujeres, por no tener acceso visual a su genitalidad u otros funcionamientos corporales, internalizan los procesos como "procesos (de) sentidos"; por ejemplo, la mujer cuando va al baño, no ve cuando orina, ella sólo escucha y siente que orina. Cuando la mujer da pecho tampoco ve con exactitud lo que está pasando con su leche, sólo puede estar segura de que la guagua está tomando cuando siente que succiona. La excitación sexual de la mujer no proporciona reportes visuales, no hay nada evidente a través de lo cual pueda graficar en términos simples que está ocurriendo un proceso de excitación sexual; de lo que sí se puede dar cuenta, en primera instancia al menos, es de que siente unas ciertas "cosquillitas" en su cuerpo y esto suele traducirse como equivalente a una excitación. Algo muy parecido ocurre con la respuesta orgásmica. Las mujeres nos hemos puesto de acuerdo de manera bastante cómica en que todas experimentamos un mismo tipo de orgasmo, cuando objetivamente la sensación orgásmica es algo absolutamente subjetivo, cuya evaluación depende de la historia de cada mujer, porque no existe ningún dato —como sí ocurre con los hombres— visual que le indique que está experimentando un orgasmo. Todos estos procesos afectivos o emocionales que se resuelven más bien por medio del escuchar y sentir, generarían, a su vez, el que la programación y el acceso a la información en la mujer sea a través del oído y de las sensaciones auditivas, táctiles y olfativas.

Todo lo escrito en el párrafo anterior explicaría el que las mujeres tengamos más y mejor desarrollada nuestra capacidad intuitiva, ya que nuestras sensaciones o nuestra forma de conocer el mundo se realiza principalmente a través de sensaciones.

Destaco a propósito de lo expuesto en este capítulo lo importante que es para la estructura psicológica femenina el escuchar, el oír que las quieren, que se ven bonitas, que son las personas más importantes, porque, en gran medida, esas palabras nos hacen sentir que eso es verdad.

En los últimos avances de tratamiento a mujeres maltratadas físicamente por hombres, se ha descubierto que si la mujer que está sufriendo el maltrato deja de escuchar al hombre que lo propina puede adquirir la seguridad interna para no permitir nunca más que le vuelvan a pegar. Pero mientras esa mujer siga escuchando lo que ese hombre le dice a modo de disculpas −"mi amor, estaba borracho", "fue sin intención"−, dado el poder que para ella tiene lo auditivo seguirá creyendo en sus palabras, con las consecuencias que todos conocemos: el hombre reincidirá en la conducta de agresión.

A esta diferencia entre hombres que ven y mujeres que oyen se debe en parte el que no haya proliferado la ropa interior masculina a la par de la femenina. Es factor más relevante para nosotras el oír de un hombre que nos encuentra atractiva que el verlo con una ropa interior especial. Antes que tener que ver ropa interior o no ropa interior preferimos que nos hagan sentir que gustamos o que nos quieren; por eso también es que la ropa femenina cada vez tiene más surtido o es más variada, pues buscamos ser atractivas y queridas.

La pornografía es mayoritariamente masculina, por que, como hemos visto, las imágenes atraen principalmente a los hombres. Las mujeres, en cambio, serían candidatas perfectas a enganchar o hacerse adictas al chat, ya que éste es interpretado como un mensaje auditivo de conversación tremendamente reforzador para la estructura psicológica femenina. El significado o la connotación que le doy a lo que escribo o a lo que me escriben depende en mayor parte de mis variables emocionales y afectivas y no de un criterio objetivo y real expresado en la conversación.

Esta diferenciación entre ver y oír nos acerca al hecho de que hombres y mujeres puedan mirar aspectos distintos del mundo. Dado lo fundamental de este punto volveré a revisarlo más adelante a propósito del comportamiento adolescente de las niñitas de hoy día.

La programación masculina está determinada de tal forma que los niños, desde muy pequeños compiten con sus chorros de orina para ver quién puede llegar más lejos; más grandes competirán por el tamaño del pene (quién lo tiene más grande o más chico, piensan,

daría cuenta de un supuesto rendimiento sexual). Esto,
a pesar de que está comprobado con creces que el
tamaño no tiene nada que ver ni con la capacidad de
disfrute ni con la capacidad de rendimiento sexual en
un hombre. Pero, claro, lo visual es un elemento importante y, por lo mismo, la tendencia a compararse desde
este punto de vista, constituye una tendencia.

También es visual el que tengan sus órganos
sexuales a la vista y puedan estar en contacto con ellos
en forma permanente; asimismo es visual el hecho de
que la excitación produce la erección y éste es un hecho visual absolutamente registrable, que determina al
punto de poder ver que él está excitado. La eyaculación
—aunque ésta no necesariamente equivale en todos los
casos al orgasmo masculino— al término del acto sexual
es un reporte visual de fin de acto y esta visualización
permite evaluar que el acto sexual ha terminado.

Esta diferencia entre hombres y mujeres ha llevado incluso a errores de aprendizaje cultural a través de
los que se legitima el hecho de que la mujer base su
felicidad en "externalizaciones" o en factores externos,
ajenos a ella misma. Si bien hoy en día se habla con
toda naturalidad de la masturbación, este tema se

aborda así principalmente en relación a los hombres, mucho más que en relación a las mujeres, a pesar de reconocerse como un fenómeno perfectamente posible de producirse en ambos sexos sin mayores diferencias. Culturalmente, como anotaba a principio de párrafo, pareciera ser que el cuerpo del hombre está mejor determinado para que pueda ser disfrutado por él mismo; en cambio, el cuerpo de una mujer estaría entrenado para ser disfrutado por otro. Esto genera un montón de situaciones o daños afectivos, pues siempre se está culpando a "otro" de los problemas o de las infelicidades femeninas.

Esta tendencia del hombre a entrenar y disfrutar de su propio cuerpo v/s la tendencia de la mujer a esperar a que llegue otro a despertar ese amor o ese deseo sexual nos aproxima al siguiente capítulo en el que veremos cómo los cuentos de hadas han influido y marcado fuertemente en la tendencia femenina de poner fuera de sí las motivaciones afectivas. Estos cuentos nos han enseñado a suponer que nuestra felicidad depende de otros.

Capítulo V

Los cuentos de hadas en la psicología femenina y masculina

*É*rase *una vez* es una expresión que todos hemos escuchado y que —una vez pasada la infancia— nos genera algún tipo de melancolía o recuerdos en relación a esa etapa de nuestras vidas. Nos hayan o no contado o leído alguno de estos cuentos tradicionales, ellos parecen formar parte del inconsciente colectivo de nuestra cultura y, por lo mismo, parecieran determinar o predeterminar muchas de nuestras conductas psicológicas a lo largo del tiempo.

En cuentos tan populares como "La Cenicienta" y "Blancanieves", las mujeres esperan a un hombre que las saque de su estado de infelicidad, que las resucite, las despierte del letargo para hacerlas felices, pues están "medio muertas" por la ausencia de ellos. En cuentos como éstos las mujeres por sí mismas parecieran no ser protagonistas de nada, pues tan sólo están a la espera de un hombre que debe llegar, descubrirlas y rescatarlas para poder así ser felices.

En lenguaje actual, tanto la Bella Durmiente como Blanca Nieves se encuentran en estado de coma hasta que llega un señor que nadie conoce mucho, pero quien con un solo beso las resucita. Esto quiere decir —y nos enseña— que los hombres nos dan la vida que nosotros no tenemos. Además, no está demás recalcar que la causa de la infelicidad de estas protagonistas —en éstos como en otros cuentos— está determinada por otras mujeres: en el caso de la Cenicienta son la madrastra y las hermanastras quienes la hacen experimentar una vida de abusos e infelicidad. Es una mujer —también madrastra— la que envenena a Blancanieves. Estas historias nos muestran desde nuestra más tierna infancia a personajes cuyas relaciones estarían marcadas por la envidia, la rabia interna o el deseo de venganza. Por otra parte, este tipo de conducta femenina —según lo determinan los cuentos de hadas— obliga a los hombres a tener que ser príncipes y cumplir, por ende, con una cantidad enorme de requisitos: tener posición social, estabilidad anímica, condiciones naturales de gentileza, ternura, belleza, estabilidad socioeconómica, proyección como buen padre, etc. Porque así son los príncipes perfectos. Ellos, por lo tanto, también serán desde muy pequeños determinados para ser susceptibles a caer en el juego de tratar de complacer al resto, intentando cumplir con esta cantidad de exigencias. También querrán ser príncipes y cubrir todas nuestras expectativas .

Así las cosas, aprendemos a través de estos cuentos que los hombres nos resucitan, que la felicidad se logra sólo en la medida en que hay otro que la produce, que los hombres deben hacernos sentir y cumplir nuestros deseos en cuanto éstos van surgiendo. Cuando llega el príncipe a mi vida, ése que reconozco porque "yo siento" —de acuerdo a lo que experimento y según lo referido en los capítulos anteriores— que "es el hombre adecuado para mí", se supone que lo reconozco de inmediato. No existe en estos cuentos el tiempo necesario para el conocimiento mutuo ni las experiencias que enseñan a descubrir lo que no me gusta del otro, en ellos el aprendizaje es instantáneo: "yo lo veo y sé que es él". Algo más, junto con reconocerlo, tengo que dejar todo por ese hombre, pues se me garantiza que "voy a ser feliz para siempre".

En la vida que nos toca a todos y que transcurre
fuera de los cuentos de hadas, vemos cómo esto se
prolonga gracias a que interiormente vamos incorporando la imagen de un hombre que yo construyo, y
luego viene el ineludible choque con la realidad al darme cuenta en la convivencia cotidiana de que no estamos ante el príncipe de los cuentos, pues este hombre
tiene mal genio o mal olor o hay algo de él que ya no
soporto. El cuento en la vida real comienza entonces a
incorporar la palabra "estafa", pues el cuento que yo
leí y en el que creí no era así, a mí no me contaron un
cuento así. A estas alturas —como en la mayoría de
los cuentos maravillosos— surge la elección y aparecen
dos caminos: o acepto al hombre que tengo o intento
cambiarlo. Si la elección es esto último comenzaremos
con esa carrera interminable llena de quejas y de intentar transformaciones, todo esto con las consabidas
cuotas de infelicidad y amargura.

Ahora bien, no podemos dejar de considerar que
internamente las mujeres tengamos por definición una
concepción de hombre que es siempre la misma —ese
príncipe perfecto— y que estamos todas enamoradas
de ese mismo hombre. Entonces, aunque suene ridículo,

el hombre que tenemos o que apareció o que nos llegó a la vida podría psicológicamente interpretarse como una especie de premio de consuelo ya que el verdadero —el príncipe, el perfecto— anda errante por el mundo o le tocó a otra. Por esta razón también es usual oír quejas permanentes respecto de la realidad de hombre que tenemos al lado en vez de valorar la presencia real, concreta del hombre que sí está en nuestras vidas y sin poder tampoco reconocer las cosas buenas que tiene porque siempre estará en falta en relación a nuestro príncipe. Nuestro hombre real no podrá nunca cumplir a cabalidad con el modelo de príncipe que se fue formando en nuestro interior y desde nuestra más tierna infancia.

Consideremos este otro aspecto: en estos cuentos maravillosos es común encontrarse con que las relaciones femeninas se definen dentro de una estructura social en la que suelen ser ellas las causantes de una buena parte de —o de todas— las infelicidades de la o los protagonistas. Por ejemplo a la Cenicienta la vida se le echa a perder cuando muere su papá, pues tanto la madrastra como sus propias hermanas la desprecian y, no sólo eso, le hacen la vida imposible. La condenan a vivir en la parte más oscura y miserable de su propia casa, rodeada de trastos y ratones, y la obligan a desempeñar los trabajos más duros. Pero esta mala vida —esta vida que no es vida— se le arregla cuando aparece el príncipe que la descubre, la rescata y le proporciona una nueva vida. Blancanieves es condenada a muerte por la envidia y los celos de su madrastra. En el cuento no aparece ni una amiga, ni una sola mujer que la ayude. El cazador le perdona la vida, los enanos la protegen y una mujer —que, claro, es la madrastra, pero a la vez representa a una otra— que pasa por la casa donde vive, amablemente le ofrece comer una manzana envenenada. En la Bella Durmiente el hada mala, el hada que está enojada porque olvidaron invitarla a la fiesta, tiene más poder que todas las buenas y su designio se cumplirá pese a ellas, pese a la nodriza, pese a todos los cuidados que puedan brindarle. Sólo un príncipe será más fuerte que ella, que la muerte misma, sólo un príncipe podrá despertarla, sacarla del sueño en que están sumidos ella y todo el mundo que la rodea.

Este peso del príncipe —o de otros hombres que parecen príncipes— como "dador de vida" se siente todavía con mucha fuerza en nuestra cultura, son ellos y no las mujeres los que proporcionan la felicidad y el bienestar. Si una mujer está bien con su marido y, además, se mantiene bonita es porque ese hombre tiene "buena mano". Él es el que hace que esa mujer se vea bien. En cambio si una mujer está separada o sin pareja y anda de mal genio es porque le falta sexo, o sea, le falta el hombre. Si a una mujer de repente le da por arreglarse o por preocuparse de ella será porque tiene un amante o porque se está separando (con esto le demuestra al marido lo que se está perdiendo...).

Nuestras conductas femeninas están predeterminadas de una u otra forma por lo que los hombres o un hombre es capaz de generar en nosotras. La evidencia que arroja este dato indica que no estamos ante una concepción sana de la vida, pues dificulta el que la mujer se haga cargo de sí misma en pos de determinar y avanzar hacia la felicidad y la autonomía. Lo más común es que esta mujer le pase la cuenta a otro de esta posibilidad o imposibilidad de ser feliz.

Los invito a continuación a reflexionar acerca de una de las conclusiones más importantes de la investigación. Me referiré a la existencia no ya de un solo tipo de pensamiento sino de dos estructuras de pensamiento que tendrían las mujeres y que, de alguna manera, competirían entre ellas: el pensamiento mágico y el pensamiento real.

Capítulo VI

Pensamiento mágico
Pensamiento real

Antes de entrar de lleno en las descripciones y diferencias de estos tipos de pensamientos, compartiré con ustedes algunas reflexiones y observaciones que espero sean de utilidad a la hora de precisar mejor aquello que designo como pensamiento mágico y que, adelanto, tendría una fuerte ligazón con el ser femenino.

Cuando pienso en la tierra y en sus ciclos no puedo dejar de encontrar similitudes entre la estructura femenina y los ciclos de la tierra. Es maravilloso —y tal vez un poco agotador— pensar que nosotras transitamos por las cuatro estaciones en un mes y que la vida no sólo transita a través de nosotras como en los hombres sino que además podemos incubarla. No es ninguna novedad el anotar que las tribus milenarias identifican a la mujer con la tierra y que ella conecta a su pueblo con la naturaleza mientras que los hombres lo hacen a través de sus productos o logros (para seguir con el lenguaje utilizado en este libro). Existen tribus en las que, por ejemplo, el período de la menstruación será el único período del mes en que la mujer es atendida y colocada en un lugar especial del poblado para que toda la sabiduría emanada de ese período pueda ella después utilizarla a favor de la comunidad.

Entonces surge con ineludible fuerza la pregunta sobre qué pasó con las mujeres que, gustando tanto del logro masculino, dejaron de contactarse con su identidad más profunda. Por una parte, la magia, entendida como intuición, como sabiduría o, si prefieren en términos más simples, como "guata", como pálpito, se nos está esfumando. Considero un imperativo intentar recuperarla y para ello es imprescindible volver a la sabiduría que mostraron nuestras abuelas, de conocer e interiorizarnos todavía más en el quehacer de esa machi que todo lo curaba, recuperar los usos de la mujer que con tocar a su hijo sabía si tenía temperatura o algo que exigía mayor cuidado, de esa mujer que conocía las virtudes de ciertos caldos para sanar alguna dolencia y de las que predicaban contra todo feminismo las formas y virtudes para conquistar a un hombre por el estómago.

Puedo reconocer hoy en día ciertas fuerzas que apuntan a la urgencia de que las mujeres vuelvan a sus esencias, a los méritos y no los defectos de practicar el bordado, la pintura y otras labores que nos hacían tan mujeres; pero son muy fuertes y han ganado mucho terreno esas otras fuerzas que dicen que "nos enfermamos una vez al mes", que "nos mejoramos cuando tenemos guaguas", que tenemos "pechugas" como si fuéramos pollos o cualquier otro animal plumífero, que nos "rajamos en el parto", que lo mejor sería no menstruar todos los meses y, por lo mismo, es una verdadera maravilla el médico brasileño que está trabajando en el prodigio de interrumpir la menstruación para siempre. Podría transcribir en este libro una gran cantidad de afirmaciones que usamos mayoritariamente las propias mujeres y que no hacen más que descalificar nuestro ser desde lo biológico hasta lo conductual. Conocidas de todos son frases como que "la dueña de casa no hace nada", dicha para favorecer a la que trabaja; incluso se postula que lo justo sería darle un sueldo a las mujeres que se quedan en sus casas, probando con esto que sólo dando algo externo se puede valorizar algo interno, que, por supuesto, no se trata más que de otro gran error.

Algo serio está pasando con la dignidad de la mujer, algo que la ha alejado de su centro interior, algo así como que le ganó el sistema. El retener no parece tan importante, es mejor avanzar y soltar todo, incluso los afectos. Los hombres nunca se han alejado de su centro, siempre han trabajado por sus objetivos y han ido incorporando elementos afectivos, han aprendido a retener y, en efecto, les ha hecho bien. En cambio las mujeres estamos en vías de comenzar a soltarlo todo y no retener nada, pero esto, para colmo, manteniendo el principio de que la felicidad viene de fuera y no buscándola dentro de ellas mismas. Si hablamos de felicidad esta ecuación está lejos de proveerla.

Aclaremos desde ya que cuando me refiero a pensamiento mágico en la mujer, como causante de su infelicidad, no me refiero a la magia femenina causante de su intuición, de su sabiduría de y con la tierra. Este pensamiento mágico, esta magia en el pensamiento se parece más y mejor a las expectativas, a las definiciones internas que tenemos sobre las cosas, es más bien algo parecido a lo que en alguna teoría psicológica puede entenderse como pensamiento automático, análogo a la palabra deseo, sueño o fantasía, que en caso de no cumplirse generará gran frustración, aun cuando no se tenga conciencia de ella.

Por esto es que planteo que una mujer mientras más tenga de este pensamiento mágico —análogo a las expectativas y no a la intuición— al que me he referido en el párrafo anterior, será más proclive a la infelicidad y más infeliz hará a todos los que ella rodea y la rodean, porque estos seres quedarán amarrados a estas expectativas no logradas, expectativas que muchas veces ni siquiera ella sabe cuáles son.

PENSAMIENTO MÁGICO Y PENSAMIENTO REAL

Al estudiar el fenómeno —que defectuosamente he denominado— de externalización femenina, en el que la felicidad de las mujeres estaba puesta siempre en el otro, se llegó a la conclusión de que ella posee dos estructuras de pensamiento, a diferencia del hombre que posee en forma natural una sola, y la otra la aprende en la medida en que va incorporando elementos femeninos dentro de su historia. Estas dos estructuras de pensamiento femeninas vendrían en forma natural dadas por el pensamiento real y lo que yo he dado en llamar el pensamiento mágico.

La estructura de pensamiento real es una estructura de pensamiento basada, como su nombre bien lo explica, en la realidad, en lo concreto, en lo que de verdad tengo y en lo que está a mi alcance y puedo ser capaz de valorar; en cambio, la estructura de pensamiento mágico está determinada principalmente no por el poder mágico que podemos tener las mujeres para transformar la realidad sino por una magia que en tanto no real e imposible de realizarse, de todos modos yo espero que ocurra, como algo sorpresivo, frente a lo cual siempre se está en una postura ovular, de espera y paciencia; desde fuera ha de venir y suceder aquello que me salve, aquello que opere en mí el cambio deseado.

Este pensamiento mágico —relacionado a los deseos y las expectativas, no a la intuición— y el pensamiento real configuran la estructura psicológica femenina. A diferencia del pensamiento de las mujeres, el pensamiento de los hombres tendría una sola estructura dada en forma natural y la otra la aprenderían en la medida en que van incorporando elementos femeninos a su historia. Su estructura de pensamiento sólo está determinada por lo real y lo concreto, de modo que aparentemente el hombre tendría una mejor capacidad de disfrutar de lo cotidiano en la medida en que puede solamente valorar la realidad de lo concreto, sin aproblemarse por lo que no está ocurriendo ya que él siempre, como he dicho anteriormente, se encuentra trabajando en un objetivo específico.

El pensamiento mágico funciona dentro de nosotras como un sinnúmero de expectativas de cómo deben ser las cosas; por ejemplo, cómo debe ser mi cuerpo, cómo deben ser las relaciones que establezco y las expectativas de cómo debe funcionar lo cotidiano. Cada vez que en la televisión muestran un comercial de una crema para el pelo que lo nutre y elimina para siempre las puntas secas, se induce a cientos de mujeres a ir en búsqueda de ese producto, pero la mayoría de ellas comprará más que la crema en sí misma: comprará la magia y no la realidad, porque para que aquello a lo que se hace publicidad haga efecto en mí, primero debo hacerme un análisis que indique mi tipo de cabello, si necesito o no una crema y conocer los ingredientes con que debe contar la crema para que

efectivamente sea beneficiosa para mi problema. Ahora
bien, lo primero sería valorar si realmente la necesito,
pero la experiencia indica con abrumadora evidencia
que la necesidad pareciera no ser un aspecto que las
mujeres valoremos en estos casos, pues ésta es una
compra mágica. Al igual que la crema, son compras
mágicas las pastillas para adelgazar, las cremas antia-
rrugas o todo aquello que tiene que ver con situaciones, servicios u objetos que nos venden en el comercio
y que bien pueden tener una base científica muy real
y ser efectivas en sus resultados, pero que claramente
requieren de otras condiciones para ser del todo be-
neficiosas, como lo son: una buena alimentación, una
piel hidratada, tomar líquido, una vida activa y otras
condiciones que habrán de ser el feliz complemento
para lo que este producto ofrece. El producto en sí
mismo no será el causante único del cambio, como el
pensamiento mágico tiende a indicar. Esta magia está
asociada en primera instancia a cómo debo ser yo, a
ciertas definiciones internas de cómo debo funcionar
y de cómo debo entender mi cuerpo, cómo debo entender mi belleza, cómo debo entender mi forma de

comportarme y, por lo tanto, mis propias concepciones acerca de cómo tienen que ser las cosas.

También este pensamiento mágico se puede expresar o se puede deducir en relación a cómo deben ser la relaciones que establezco. Yo, internamente, tengo una imagen o una definición de mamá y esa definición interna ha sido construida sobre la base de una madre ideal que aparece fundamentalmente en los cuentos que nos leen cuando pequeñas; en ellos las mamás son cariñosas, fraternales, positivas, generosas, siempre dispuestas a ayudar, incondicionales. Sucede entonces que cuando yo abro los ojos y descubro a mi mamá, probablemente se originan una serie de discrepancias entre la imagen interna de madre que tengo mágicamente incorporada y la imagen real de mamá que yo de verdad puedo incorporar y con la que puedo de alguna manera vivir diariamente. Producto de estas discrepancias entre el ideal mágicamente incorporado y la mamá real con la que tengo que convivir, discuto o peleo con mi mamá real, pero no es que esté peleando con mi mamá real, sino que peleo con la idea interna, con la imagen de madre que mi mamá real no es capaz de cumplir. Esto es válido para las relaciones de pareja, las relaciones con los hijos, las relaciones laborales y para todas aquellas relaciones que establezcamos las mujeres.

El pensamiento mágico produce otro tipo de consecuencias psicológicas en nosotras mismas y en las relaciones que establecemos. Se trata de consecuencias cuyo impacto no es menor y que configuran parte importante de nuestro funcionamiento. Las consecuencias de este pensamiento mágico son o forman parte a su vez de las causas de la ansiedad, ya que la ansiedad se genera por la discrepancia que existe entre el pensamiento mágico y el pensamiento real (más adelante me referiré en forma especial a la ansiedad debido a la relevancia que este tema tiene dentro de nuestra estructura femenina). La queja constante es otra de las consecuencias del pensamiento mágico, ya que en tanto en mi vida real no se van cumpliendo mis pensamientos mágicos, el pensamiento femenino comienza a quejarse de que la vida no está siendo como se quiere que sea, por lo tanto, sus consecuencias son a la vez la causa de la infelicidad en las mujeres en lo personal y en lo afectivo. No queda sino aceptar que lo que gobierna es la existencia de lo real, que en este caso estará siendo continuamente boicoteado por lo "mágico".

En lo que respecta al pensamiento real masculino es importante reconocer y valorar que ellos necesitan incorporar elementos del proceso —no sólo aquello que tiene que ver única y exclusivamente con los objetivos— dentro de su historia para darle un significado y una emoción a lo que viven, puesto que la experiencia de únicamente trabajar por los logros no alcanza para producir satisfacción ni plenitud. Esto se haría necesario principalmente a falta de una preeminencia de los componentes que proporcionan el desarrollo de lo afectivo y lo emocional. Por otra parte, desde el punto de vista masculino, será siempre beneficioso que los hombres entiendan este pensamiento mágico femenino, pero, por lo mismo, no intenten satisfacerlo porque van a "morir en el intento". No serán capaces jamás de satisfacer estas estructuras y este pensamiento mágico, y, por lo tanto, quedarán con la mera sensación de un logro no cumplido o esto les producirá insatisfacción y frustraciones, alejándose irremediablemente de estas mujeres siempre insatisfechas. Ejemplos sencillos de situaciones de incomprensión de parte de los hombres al pensamiento mágico femenino son frases tales como "a ti no hay cómo tenerte contenta" o "te quejas de llena". Estas frases son dichas por hombres que han intentado satisfacer el pensamiento mágico de sus mujeres, pero como se trata de un pensamiento muy difícil de satisfacer, pareciera que no han sido capaces de hacerlo y tampoco logran producir la sensación de plenitud y de satisfacción en ellas.

Hombres y mujeres debemos aprender a hacernos felices mutuamente, principalmente a través de la valoración de nuestras diferencias, pero esta propuesta dista mucho de que los hombres crean que necesariamente deben satisfacer todos nuestros pensamientos mágicos. El pensamiento mágico, según como lo he descrito, no es beneficioso para el desarrollo de las mujeres y menos lo será el que la pareja o quienes nos rodean intenten siquiera satisfacerlo, pues ni las propias lo logran y menos el que cree poder interpretar desde fuera el fondo y los alcances de este tipo de pensamientos.

En el capítulo a continuación hago especial hincapié en aquello que tiene que ver con las causas de la infelicidad femenina y masculina; intento de esta forma comenzar a resumir para entender de mejor forma el modo en que todos los elementos que he mencionado en los capítulos anteriores se van cerrando y forman una estructura coherente e integrada de conceptos y planteamientos. El objetivo será lograr la comprensión de lo que hombres y mujeres podemos hacer en nosotros mismos y en los demás para ser más felices y, por ende, más felices.

Capítulo VII

Causas de la infelicidad

En lo que llevamos del libro hemos analizado y comprendido conceptos y aspectos de nuestra vida cotidiana que hacen que seamos menos felices. Ayuda a que seamos menos felices el no saber ni comprender cómo funcionamos hombres y mujeres, pero nos hace peor todavía el estar siempre esperando que ocurran cosas que al final no suceden.

• **La primera causa de la infelicidad femenina estaría dada por la dificultad de las mujeres en el manejo de los tiempos personales.**

Es fundamental que si una mujer quiere ser feliz busque y logre tener tiempo para ella, pero es igualmente fundamental que ejerza ese derecho sin culpa. Ese tiempo personal facilitará el poder estar en contacto con ella misma. Este tiempo personal ejercido sin culpa y facilitador de su conocimiento interno le permitirá entender los tiempos personales de los demás.

• **Es causa de infelicidad femenina la constante queja.**

La queja es un elemento que en general los hombre no aceptan de buena forma, al igual probablemente que les sucede con el llanto, porque se trata de situaciones a las que no pueden encontrar ninguna solución aparente y cotidiana. Esta queja, como ya vimos, se genera a partir de la discrepancia que existe entre el pensamiento mágico y el pensamiento real. Vale decir la queja es consecuencia de esta discrepancia y, a su vez, causa de incomprensiones.

• **Otra causa de la infelicidad femenina se debe fundamentalmente a la "externalización" de la felicidad.**

El colocar fuera de nosotras mismas las causas de la plenitud como de las desdichas no nos permite forjar nuestro propio proyecto o pauta de vida sino que estamos a merced de lo que hagan, digan, sientan o expresen los otros, con las consecuentes malas interpretaciones de nuestra parte.

• La estructura de pensamiento mágico es causa primordial de infelicidad femenina.

Como ya he venido sosteniendo, una mujer mientras más pensamiento mágico tenga, más infeliz va a ser y más infeliz, por lo tanto, va hacer a todos los que la rodean Esto no quiere decir y nada tiene que ver con que las mujeres dejen de soñar. Aquí de lo que se trata no es de dejar de soñar sino que colocarle magia a la realidad que tenemos y no intentar hacer real lo mágico, porque este camino es el que genera desdicha e infelicidad en las mujeres.

Debemos apreciar la realidad que tenemos y a esa apreciación que cada uno tiene de la realidad incorporarle nuestro encanto y toda la ternura de que seamos capaces y que la realidad aguante. Con encanto y ternura se hacen las mejores magias. Pero si intento hacer real mi pensamiento mágico voy a morir agotada, infeliz y haciendo infeliz también a cuantos me rodean.

• Por último, tenemos que la ansiedad es causa de infelicidad femenina.

La ansiedad tiene su origen en el pensamiento mágico y está principalmente determinada por la discrepancia

o la diferencia que existe entre el pensamiento mágico
y el pensamiento real. Cada vez que uno entienda el comportamiento ansioso como una traducción de pensamiento mágico no satisfecho, las conductas ansiosas adquieren una forma más congruente de solucionarse.

• Existen dos grandes causas que hacen que un hombre pueda sentirse infeliz: la incapacidad para estructurar soluciones y no lograr las metas.

La infelicidad masculina estaría determinada principalmente por ser o sentirse incapaz de estructurar soluciones a los problemas que se le van generando en el transcurso de su vida y por el no logro de las metas que los hombres se proponen. Ahora bien, el no lograr los objetivos puede tener que ver con la parte afectiva y emocional, pero ellos siempre estarán principalmente centrados en el no logro de objetivos y en el no logro de soluciones frente a los obstáculos que de una u otra manera se les van presentando en el camino.

TRABAJO PERSONAL

PARA SUPERAR LA INFELICIDAD Y LOGRAR LA PLENITUD

Al hacer evidentes ante los lectores y lectoras estas causas de infelicidad masculina y femenina no quiero lograr otra cosa más que, junto con comprenderlas, puedan solucionar algunas de ellas y entregarles algunas pautas de trabajo personal como las que siguen.

Estas pautas de trabajo van dirigidas a hombres y mujeres, pues en todos conviven lo femenino y lo masculino, por lo tanto, cada cual deberá ver hacia dónde se inclina su balanza y cómo lograr el equilibrio y el complemento.

• Lo primero que debiéramos hacer hombres y mujeres al leer este libro es plantearnos qué es todo aquello que retenemos para nuestro bien y qué retenemos pero nos hace daño. Luego podríamos dar un paso más y visualizar aquello que tenemos que soltar porque nos está haciendo daño y visualizar aquello que nos haría bien empezar a retener.

Ésa es la primera gran tarea: hacer una lista con todas las cosas que estamos reteniendo y todas las cosas que estamos soltando y ver qué estamos haciendo bien en retener y qué cosas podemos soltar en esa capacidad retentiva que nos haga daño. También el listado deberá incluir aquellas cosas que podamos retener que de alguna manera tampoco nos haga bien soltarlas.

Por ejemplo, a lo mejor podríamos ir a reuniones de apoderados si no estamos yendo. Esto debería estar en la lista de lo que sería bueno retener ahora y que en algún momento anterior soltamos. Podríamos también identificar y anotar en nuestra lista de soltar el dejar de hacer cosas que no nos gusta hacer y que nos hacen mal, pues nos generan conflictos y mal genio con respecto a nuestro funcionamiento cotidiano.

• Otra tarea sería trabajar con nuestros pensamientos mágicos y nuestros pensamientos reales. Si comprendimos bien los conceptos, entonces podremos —hombres y mujeres más allá de nuestros géneros— ver cuál es el que predomina en nosotros, cuáles son los pensamientos mágicos que hay que intentar superar y en qué medida debemos trabajar por equilibrar nuestra estructura.

De acuerdo al concepto de pensamiento mágico entregado en este libro escriba un listado de todo aquello que en su vida actual tendría su origen en el pensamiento mágico —el de las expectativas nunca satisfechas. Quizás se encuentre con que no necesariamente haya que eliminarlos todos ni tampoco intentar disminuirlos. Existen algunos que tal vez no causan daño y otros que sí es urgente y preciso eliminar o desechar. Empiece de a poco y con paciencia porque recuerde que esto ¡no ocurre por arte de magia!

Intente también descubrir y analizar sus definiciones internas para comprobar si ellas están o no, originando pautas tan exigentes que son imposibles de cumplir. Al descubrir y hacer evidentes estas pautas que estarían funcionando para el sí mismo debemos aprovechar de analizar si son o no las mismas con que evaluamos a los otros. Es muy recomendable descubrir si mi evaluación de lo(s) demás me impide o no disfrutar lo que eso(s) otro(s) me puede(n) entregar. Sólo así podré experimentar la felicidad por lo que tengo y no entristecerme por lo que me falta.

- La mayor parte de las filosofías y religiones plantean, en concordancia con la psicología, que la felicidad es aquello que tiene que ver con lo alcanzado al final del día; esto se dará sólo y en la medida en que somos capaces de registrar y valorar lo positivo del día y no lo negativo. Recordemos el clásico ejemplo del vaso lleno, mitad lleno o mitad vacío. Si yo de alguna manera planteo que el vaso está hasta la mitad vacío voy a tener una sensación de insatisfacción permanente; en cambio, si planteo que el vaso está hasta la mitad lleno voy a quedar satisfecho y podré experimentar sensaciones de felicidad. De esto depende que yo sea feliz durante un día.

Todos experimentamos acontecimientos positivos y negativos a lo largo de nuestro día, pero depende de nuestro colador o de cómo registremos estos eventos el que alguno se sienta más o menos feliz. No siempre ni a todos nos pasan cosas positivas y negativas, y esto tiene que ver con algo que siempre he dicho a mis pacientes y amigos: se trata de que los problemas psicológicos son en gran parte problemas oftalmológicos, es decir, tienen que ver con un problema de mirada, de cómo yo registro, miro, encapsulo lo que me está pasando para poder valorar la vida que tengo. Este mirar me determina o predeterminará la felicidad que yo logro experimentar y también determina, en parte, la felicidad que proporciono a los demás.

En el capítulo siguiente los invito a que repasemos algunos aspectos que ayudan a la comprensión del fenómeno de la ansiedad, fenómeno psicológico tremendamente importante en el ámbito de lo femenino, por su especial relación con la estructura de pensamiento mágico y de pensamiento real.

Capítulo VIII

La ansiedad y sus consecuencias en el pensamiento mágico

Es frecuente escuchar relatos de mujeres que describen sus intentos por bajar de peso dejando de comer, más sin lograr su objetivo. Ante situaciones como éstas surge la pregunta de por qué si dicen querer bajar de peso —y nada físicamente lo impide— no logran hacerlo. Lo mismo pasa con otras conductas como fumar, comprar, beber, etc.

La ansiedad —en tanto elemento femenino— pertenece o forma parte de todas nuestras estructuras psicológicas y nos acompaña en distintas áreas de nuestra vida. Esta ansiedad, de acuerdo al modelo presentado, se generaría a merced de las diferencias que existen entre el pensamiento real y el pensamiento mágico; por lo tanto, si una mujer quisiera por ejemplo bajar de peso o dejar de fumar tendría que preguntarse primero qué cosas de su pensamiento mágico no está satisfaciendo y qué sí logra compensar o "satisfacer" a través del comer o del fumar. Después de que ella descubra cuáles son esos elementos de su pensamiento mágico que no logra satisfacer cuando se pone a dieta o decide dejar de fumar es probable que disminuya su ansiedad y logre bajar de peso y dejar de fumar en forma natural.

Llama la atención el que en la actualidad son muchas las mujeres que manifiestan tener cuadros ansiosos y angustiosos. Quizás esto se deba a que nos toca vivir en un mundo tan agitado que nuestros pensamientos mágicos están cada vez más lejos de ser satisfechos.

La ansiedad femenina se expresa de distintas maneras y su repertorio más común, según esta investigación, tiene que ver con hablar mucho, comer, beber, comprar, llorar, gritar, fumar, moverse y reclamar.

Ahora bien, se trata de formas de ansiedad que van rotando, que se movilizan a lo largo de nuestra vida por nuestra estructura afectiva y, por lo tanto, en el momento en que creemos controlar, por ejemplo, el comer, podemos comenzar a fumar en mayor cantidad. Esto, porque la raíz de nuestra ansiedad no está en la consecuencia del hablar, comer, beber, comprar y todas las otras formas que ya mencioné, sino que en la estructura de nuestro pensamiento mágico. A través de estas formas no hago otra cosa que intentar sedar, compensar o regalonear mi pensamiento mágico.

Para poder eliminar la ansiedad puse en práctica algunas pautas de conducta que dieron, a lo largo de los tres años de esta investigación, muy buenos resultados, estas pautas son las siguientes:

1. Disminuir el pensamiento mágico y trabajar una comunicación directa y franca que tiene que ver con el decir lo que siento en el momento en que lo siento y en el contexto adecuado; esto tendría que ver con el desarrollo de habilidades de asertividad.

2. Trabajar con las manos. Éste es un punto muy central dentro del trabajo de la ansiedad. Se ha descubierto —y me ha asesorado en esto un psicólogo oriental— que en Oriente se ha probado que la ansiedad femenina se elimina a través de la última falange cercana a las uñas de los dedos de las mujeres, por lo tanto, todos los trabajos que las mujeres hagamos de presión con nuestras manos tienden a disminuir nuestras conductas ansiosas.

No es casual, por lo tanto, la coincidencia de que hoy en día las mujeres estemos haciendo cada vez menos labores con las manos y estemos también cada vez más ansiosas. Sabias eran nuestras abuelas cuando decían que el bordar, el tejer y el cocinar las relajaba, y consideraban que esas actividades eran una terapia. Quizás no sería una mala idea recuperar en los colegios las clases de cocina y labores manuales, como el bordado y el tejido, pues junto con aprender actividades de utilidad práctica, cooperaríamos a disminuir nuestras conductas ansiosas.

3. Apreciar el mundo real y colocarle encanto y cuidado a éste sólo en la medida en que lo valoro positivamente genera menos ansiedad que estar tratando todo el tiempo de que el mundo se haga real tal y como espero o deseo yo en mi pensamiento mágico.

4. Aumentar la capacidad de soltar es otra de las características que de una u otra manera me llevaría a disminuir mi capacidad o mi manejo de la ansiedad.

Digamos, a modo de síntesis, que es fundamental entender que la ansiedad puntual será posible de ser determinada y manejada, toda vez que distingo en qué medida soy capaz o vivo mi pensamiento real y mi vida real; en qué medida soy capaz de valorar la realidad de lo que tengo y no de lo que me falta y, también, cómo y cuánto soy capaz de disminuir mi pensamiento mágico a través de una comunicación franca, directa y sincera conmigo primero y luego con los demás que me rodean.

En este punto creo haber respondido a las preguntas que de una u otra manera generaron esta investigación: ¿por qué las mujeres nos quejamos tanto?, ¿por qué cuando hablamos de nosotras siempre hablamos de otros? y ¿por qué hemos contribuido en gran medida a transmitir esta visión un poco quejumbrosa o problemática del hecho de ser mujer? Buscando las respuestas a estas pregunta, dimos con ciertas características que por ser propias de las mujeres podían a su vez extrapolarse al modo de ser femenino y, lo mismo, respecto de los hombres y lo masculino. Ahora bien, mi intención ha sido en todo momento compartir con ustedes las respuestas halladas, siempre en el convencimiento de que tanto hombres como mujeres compartimos rasgos y, en la medida, en que reconozcamos en nosotros mismos cuánto hay de femenino y cuánto de masculino, estaremos más cerca de conocernos y aceptarnos, como también de conocer y aceptar el complemento más allá de los géneros y más cerca de nuestra propia humanidad.

Cabe preguntarse ahora qué pasa con nuestros hijos, con las nuevas generaciones, qué pasa con la educación que les estamos dando, cómo estamos trasmitiéndoles a ellos lo femenino y lo masculino. ¿Comparten ellos las diferencias psicológicas apreciadas entre hombres y mujeres que yo he descrito en esta primera parte?

La segunda parte de este libro intenta dar con algunas respuestas a estas interrogantes. Veremos cómo sí es posible educar hoy en día a hombres y mujeres plenamente mujeres, plenamente hombres, plenamente personas. Cómo se logra ser lo más femeninas posible y lo más masculinos posible, sin tener que ser ni feministas ni machistas, favoreciendo el ser mejores personas y el complemento siempre tan necesario y vital. Veremos cómo eliminar la agresividad y la violencia que existe en nuestra sociedad y que en parte se origina en el trato cotidiano —aunque la mayor parte de las veces inconsciente— hacia nuestros propios hijos y del que ya no se descansa ni siquiera cuando están entre pares, mostrándose como generaciones que se están agrediendo innecesariamente. Daremos un vistazo bastante general, pero de modo que nos permita tener una idea clara del panorama infantil y juvenil. Intentaré compartir con ustedes las apreciaciones y conclusiones a las que he podido llegar gracias a la investigación que da origen a este libro y a mi trabajo de años y directo con adolescentes en relación a temas que son hoy día álgidos en relación a los contenidos con que se están manejando nuestros adolescentes, a las alteraciones en la conducta de nuestras hijas e hijos tanto en su comportamiento individual como social.

SEGUNDA PARTE

DESEQUILIBRIO Y ARMONÍA

Comenzaré señalando que en esta segunda parte todos los datos y todas las referencias que voy a mencionar se basan en la observación que directa o indirectamente pude realizar, gracias a una serie de talleres en que participo y dirijo, y al privilegio de poder asesorar a muchos de los colegios de la V y VII región y a otros cuantos en Santiago. También a que me impuse la exigencia de que me aceptaran formar parte de grupos de adolescentes de distintos niveles sociales y edades hasta llegar incluso a participar de una especie de "carreteo", esto último ni más ni menos que durante tres agotadores, pero muy fructíferos y enriquecedores meses. Todo lo que escribo aquí se debe a que he podido observar y diagnosticar en terreno el comportamiento adolescente y su relación con lo femenino y lo masculino.

Esta experiencia, confieso, fue tanto llamativa como tremendamente fuerte. Reconozco no haber tenido una adolescencia muy plena en términos de salidas. Tengo casi cuarenta años y pertenezco a una generación que se crió bastante restringida en lo que a salidas nocturnas se refiere, por lo tanto, me resulta muy difícil entender los códigos de libertad que hoy en día están teniendo los adolescentes en el manejo de su propia adolescencia.

Añado a lo dicho hasta aquí algo no menos importante como es el que todas las observaciones y lo que aquí comente forma parte de reflexiones que los propios adolescentes realizaron con respecto a sus conductas y en relación a las conductas de nosotros, los adultos. Anticipo que el análisis del mundo adulto y lo que refleja fue muy crítico; espero que esto sirva y dé testimonio de la urgencia de que los adultos reflexionemos sobre el porqué nuestros hijos no quieren crecer. Aunque con esto me adelanto a lo que debemos ver paso a paso, puedo anticiparles que ellos no quieren crecer porque para ellos crecer significa parecerse a nosotros y no quieren parecerse a una generación que nunca tiene tiempo para nada, que hace muchas cosas urgentes a lo largo de todo el día, pero prácticamente nada importante, que no sonreímos y que de alguna manera estamos estresados por cosas que ellos jamás nos pidieron.

I. CARACTERÍSTICAS DE LAS NUEVAS GENERACIONES DE ADOLESCENTES

Esta generación tiene varias características que es necesario profundizar para desde ahí entender el comportamiento femenino y masculino de los adultos jóvenes, de los adolescentes y de los niños de este tiempo.

Si usted es adulto, y por adulto voy a entender a mayores de 35 años, tendrá que recordar algunos antecedentes de su generación que son relevantes para saber qué mundo le hemos entregado a las futuras generaciones. Si usted tiene menos edad que eso, le contaré en forma muy breve cómo era la vida en aquellos tiempos:

Para ver televisión había que esperar hasta las cuatro de la tarde, verla en blanco y negro y, si yo quería cambiar un canal de televisión, tenía que levantarme de la cama, las opciones eran no más de tres y si no me levantaba a apagarla, ésta quedaba prendida toda la noche, pero sin que dieran programa alguno, sólo se sentía el ruido o quedaba la pantalla en blanco y negro. Con el fin de encontrar una nueva cara del Combate Naval de Iquique, tenía que empezar a buscar recortables en quioscos por lo menos con diez días de anticipación. Cuando niña llevábamos los zapatos a la reparadora de calzado, íbamos a la modista y los créditos casi no existían, por lo que la única manera de adquirir algún producto era ahorrando. Las parejas no se casaban con todo lo que necesitaban y daban inicio a una vida compartida con un sinnúmero de desafíos por cumplir.

Ustedes me dirán qué tiene que ver esto con el desarrollo de los adolescentes y de los adultos jóvenes; pues mucho, porque eso formó una generación basada en el esfuerzo, en el concepto de espera, en la paciencia. En realidad es una generación basada en el rigor, pero que siente —y la anterior a ésta con mayor razón— que sufrió mucho producto de la rigidez con la que fue educada. Esto ha llevado a que inconscientemente, o tal vez no tan inconscientemente, intentaran facilitarle la vida a sus hijos. A esto, claro, no podemos dejar de sumar una serie de innumerables cambios culturales, entre los que se cuenta internet y la existencia del crédito masivo. La impaciencia gobierna la existencia de nuestros niños.

Si bien la ley que más tiende a aplicar el ser humano es la del menor esfuerzo, es asunto de mayor importancia el que esta ley rija con propiedad y esplendor a las nuevas generaciones, y todo esto gracias al gobierno, como dije, de la impaciencia. A esto es fácil sumar una más escasa tolerancia a la frustración, el creer que la felicidad viene dada por criterios externos, niños y adolescentes que no saben aburrirse, a los que hay que entretener como si eso fuera un deber adulto. A la impaciencia le hace el peso la flojera o la lata que también los gobierna desde que amanecen hasta que se acuestan.

No quieren esperar, lo quieren todo y de inmediato, se aburren pronto y necesitan cambiar rápido de objetivo porque de otra manera no les interesa seguir esforzándose. A esto hay que agregar que los padres nos sentimos culpables de no estar todo el tiempo que quisiéramos o que deberíamos con ellos, por lo que los gratificamos en demasía.

Les estamos haciendo la vida demasiado fácil y, por si fuera poco, el sistema social no nos ayuda en nada, todo es veloz, fácil y aparentemente los mejores resultados se obtienen sin esfuerzo, no hay para qué esperar si por una cómoda cuota puedo obtener el producto que quiero, en Google puedo obtener la información que necesito. Por lo que he dicho hasta aquí y por todo lo que rodea a esta generación, la he llamado GENERACIÓN ON-OFF: todo lo prenden y todo lo apagan y esperan que el mundo funcione igual. Esto genera que las relaciones afectivas que establecen sean rápidas, intensas en todo sentido y desechables como todo lo que les rodea.

Estas características podrían hacer pensar que tengo una visión muy negativa de los adolescentes pero, la verdad, no es así; siento que es una generación muy verdadera, pero confundida, sin ídolos o modelos a quienes seguir. Sin embargo en realidad el problema no lo tienen ellos sino que nosotros los adultos, ya que les hemos ido entregando un mundo que ellos no quieren copiar.

Ellos no quieren crecer y lo dicen todo el tiempo. No quieren copiar a una generación que, dicho por ellos mismos, no hace nada importante, sólo cosas urgentes; que anda enojada todo el tiempo; que olvidó los ideales; que trabaja todo el día y que no sabe por qué; los adolescentes expresan que ellos jamás pidieron ese esfuerzo y que sienten que ese cansancio y ese esfuerzo se los cobran sus padres todo el día. Al leer esto lo que plantean, no dan ganas de parecerse a algo así, ¿no es cierto? Por eso digo que el problema es nuestro, no de ellos.

A lo anterior debemos sumar el hecho de que los padres de estos adolescentes recibieron el mensaje de que DEBÍAN SER AMIGOS DE SUS HIJOS y esto se entendió, al parecer, como dejar de ser autoridad, no colocar límites, sólo ser amigos, contar con su confianza. Aquí se origina uno de los errores, a mi juicio, que ha llevado a muchos de los problemas que hoy tienen los jóvenes: LA FALTA DE AUTORIDAD Y DE LÍMITES. No sólo los niños, también los adolescentes necesitan reglas claras, horarios y un encuadre que les permita distinguir los límites sobre lo que deben o no deben hacer.

Como les conté al comenzar esta segunda parte, participé de una gran cantidad de actividades de adolescentes, incluso me disfracé para incursionar en el mundo "carretero" de la juventud, y fui como una más a casi todas las discoteques de Viña del Mar, Valparaíso y Santiago. Luego de observar y hacer los análisis correspondientes a mi investigación, me dedicaba a transportar a estos niños a sus casas. Al momento de trasladarlos pude comprobar que a los que llevaba, y no en las mejores condiciones, eran los bacanes del grupo, aquellos en quienes sus papás "confiaban" tanto que no era necesario ir por ellos. Lo que resulta contradictorio es que estos mismos niños no sentían que sus padres se preocuparan por ellos y manifestaban envidias por los niños cuyos papás estaban parados afuera a la espera y desde temprano. Seguramente estos niños se deben enojar con sus padres por la insistencia, pero sin duda alguna en unos años más se lo agradecerán. Urge perderle el miedo al conflicto, pues por evitarlo estamos teniendo más y peores conflictos de los que deberíamos.

Evitar el conflicto responde a otro fenómeno cultural y masivo que tiene que ver con la evitación del dolor: hacemos todo lo posible para no sufrir o para que el sufrimiento sea lo más breve o leve posible; por esto evitamos tocar temas complicados, evitamos sancionar, los castigos raramente llegan al final y nuestra consecuencia frente a las reglas deja mucho que desear.

Nos hemos ido retirando del frente que implica ser autoridad para nuestros hijos, se nos olvidó ser autoridad. Se nos olvidó que como padres nuestra función primordial es educar a nuestros hijos. Puedo y debo ser cálida, pero mi primera responsabilidad es preparar a mis hijos para la vida y para una vida que va a ser más difícil que la que me tocó enfrentar a mí, porque es más desordenada y porque a ellos les toca incorporar muchos más y más rápidamente elementos que los que tuvo mi generación.

La generación de estos jóvenes maneja todo excepto la propia vida, busca todo afuera. Si no les hacemos la vida difícil, la propia y misma vida les enseñará lo difícil que es y, si no hay aprendizajes previos, con seguridad el costo será mucho más alto. Pensemos que ellos a los dieciséis años tienen que haber tomado una serie de decisiones muy complejas, como si van a fumar o no, si van a probar marihuana o no, si van a tener o no relaciones sexuales, etc. Para poder tomar éstas y otras decisiones, deben haber escuchado muchas veces un NO de sus padres, si no cómo van a poder decir ellos que NO a algo. Recuerdo a un adolescente de octavo básico que me dijo que por qué tenía que decir que NO a la marihuana si nunca le habían dicho que NO a nada y, si le decían que NO él hacía que ese NO se transformara en SÍ. Ésta es la realidad en que viven nuestros hijos: PARA QUE UN NIÑO PUEDA DECIR NO A ALGO DEBE HABER ESCUCHADO MUCHOS NO EN SU INFANCIA. Sólo así habrá aprendido que hay cosas que se hacen y otras que no, hay cosas que son buenas y otras no, pero estas pautas las tienen que obtener de los adultos cercanos y significativos.

A partir de la realidad que he vivido, con la que he trabajado y en la que he compartido con los adolescentes, surge la pregunta sobre qué y cómo hacer para darle el "temple" que hoy le falta a esta generación. A modo de respuesta, propongo esto que he llamado LOS TRES PILARES DE LA EDUCACIÓN:

- responsabilidad
- educación de la libertad
- educación de la fuerza de voluntad

La educación de la responsabilidad consiste en la entrega de deberes de vida, y no sólo académicos, que les permitan de a poco sentirse aptos para enfrentar la vida. Luego viene la libertad, ya que nadie puede ser libre si no es responsable primero; es fundamental entregar un concepto de libertad adecuado ya que estos jóvenes —y, por qué no decirlo, la mayoría de los adultos también— tienen un concepto de libertad basado en "hacer lo que yo quiero" y la libertad no es eso, es "hacer lo que tiene sentido para mi proyecto de vida". Para poder ejercer esta libertad necesito del tercer pilar que es la educación en la fuerza de voluntad.

Para poder formar estos tres pilares se necesitan ciertas condiciones que les den consistencia y fuerza, como lo será el ser consistente dentro de las pautas de educación frente a los niños. Esto implica no desautorizarse entre los adultos significativos de los niños, mantener los castigos hasta el final y no cambiar los puntos de vista. La educación de la fuerza de voluntad se logra no facilitándoles todo sino "haciéndoles más difícil" la vida; que los premios sean eso; premios que se dan frente al buen comportamiento y el conocimiento de que en la vida las cosas cuesta ganárselas.

Lo visto hasta aquí sobre los jóvenes y los adolescentes actuales, nos coloca recién en la posición de poder analizar qué pasa con lo masculino y lo femenino en este grupo de edad.

Al comenzar con este libro les previne sobre la forma en que las generaciones adultas —en especial las mujeres— les estábamos diciendo a las generaciones jóvenes que ser mujer "era un cacho" y, por lo tanto, les empezamos a transmitir, aunque sea inconscientemente, que TENÍAN QUE SER LO MÁS HOMBRES POSIBLE, y eso es lo que están haciendo. La realidad es que en su mayoría nuestras mujeres jóvenes y adolescentes, se han MASCULINIZADO.

Hoy en día es cada vez más frecuente oír a los hombres en la consulta manifestar sus deseos de tener un hijo y ver a niñitos llorando en el patio de los colegios y a las niñitas burlándose de ellos. La agresividad de las mujeres ha aumentado notablemente y digamos que, de acuerdo a nuestro planteamiento inicial, se han hecho expertas en "soltar", y son los hombres jóvenes los que están "reteniendo". Esto no tendría nada de malo si la situación fuera flexible, pero lo que ha ido ocurriendo es que estas mujeres no tienen en su repertorio conductual elementos femeninos, se sienten seguras siendo agresivas, valorando lo práctico y no los elementos emocionales, reafirmando su individualismo y cayendo en un egoísmo, y en lo que muchas de ellas denominaron como un "vacío" gigante. Tienen todo lo que los hombres tienen y, sin embargo, no se sienten, en su fuero más interno, felices con lo que son. Las adolescentes están tomando más que los hombres, fuman más que ellos, garabatean a la par y tienen conductas de agresividad que son comparables a las de las pandillas masculinas.

Si yo hubiera visto o la experiencia me hubiera demostrado que el ser como son las niñas de hoy en día las hace más felices y las tiene con el alma en paz, de verdad hubiera tomado todo lo que observé como parte de la "evolución de los tiempos"; pero vi a la mayoría que ha caído en este juego vacía y "atrapada" porque, dicho por ellas, la otra alternativa es parecerse a su mamá o a su abuelita, mujeres a las que siempre vieron quejarse frente a lo masculino y nunca hacer nada por ellas mismas. Así las cosas, pareciera que están "obligadas a ser agresivas"; sólo así podrán garantizar su individualidad mal entendida y mantener una autoestima basada en el "orgullo" y en fomentar la educación del ego y no de la humildad como valor.

Les contaré una experiencia con mi hija de once años, quien un día llegó contándome con mucha angustia que le habían dicho FEMENINA en el colegio. Ustedes podrán comprender mi asombro al visualizar que el contenido del mensaje —por lo menos para mí— era muy positivo, pero su carita de terror no concordaba para nada con todo lo bueno que veía yo en un comentario como ése. Mayor aún fue mi sorpresa cuando ella me explicó que eso era un insulto y que significaba lo mismo que "tonta", "barsa", "fome". Lo más insólito de esto era que los comentarios de esta índole eran dichos por otras niñitas y no por los hombres del curso. Este episodio me dejó reflexiva por varios días, hasta descubrir con vergüenza que difícilmente podremos pedirles a nuestras niñitas que se enorgullezcan de su condición de mujeres si las adultas encontramos disminuidas a las "dueñas de casa", si hacemos comentarios negativos sobre las mujeres que bordan, tejen o cocinan, a no ser que eso que hacen implique alguna ganancia económica; vale decir, otra vez el logro masculino.

Entendí lo que le había pasado a mi hija y lo que le sigue pasando cada vez que se va a colocar algo rosado, cada vez que se coloca falda o que se descubre con comportamientos que —por lo menos en la forma— ejemplifican lo femenino. Es difícil sentirse orgullosa de contar con las mismas características que el mundo adulto muestra como un mundo femenino sufriente y así es muy difícil convencerla de la maravilla del ser mujer.

Cuando uno habla con mamás de otras niñas se encuentra con que manifiestan que les está siendo muy difícil manejar a estas creaturas, que no "son como eran ellas cuando chicas". Si comenzamos por dejar de lado el pensamiento mágico que todas las mujeres tenemos frente a lo que debe ser una hija-mujer hoy en día, nuestra imagen de niñita de cuento no corresponde para nada con las niñitas de carácter fuerte que nos toca educar. Lo contradictorio es que la mayoría de las veces esto nos gusta, porque nuestro inconsciente se gratifica al ver a nuestras hijas haciendo cosas que nosotras no pudimos hacer; pero al mismo tiempo esto es una amenaza a la relación y la única manera de salir de este conflicto es que las mamás saquemos nuestra parte más femenina para poder dulcificar la parte masculina que ellas nos muestran con tanta intensidad. La idea es algo así como "aguacharlas" para, después de "aguachadas", empezar a conversar y poner los límites que la educación requiere sin poner en riesgo el vínculo ni la relación afectiva.

Como se darán cuenta éste es desde sus raíces un tema absolutamente femenino y traspasa las generaciones. Algo parecido estaría sucediendo con los trastornos de alimentación, respecto de los cuales se ha descubierto que es un tema de mujeres y de competencia entre ellas, también producto de esta masculinización que las hace no querer crecer y no querer tener cuerpo de mujer, todo esto con el fin de no tener comportamientos eróticos y no asumir su condición sexual de mujer. Si reforzamos el panorama con el ingrediente que suma la invasión erótica a la que estamos expuestos adultos, jóvenes y niños, que nos ha hecho sexualizar el cuerpo, los afectos y el amor en general, los desafíos que tenemos por delante no resultan muy alentadores; sin embargo, podemos y debemos recurrir a los hombres, quienes en estos procesos suelen ser de gran ayuda, pues formalizan, concretan y llevan a lo práctico todas las fases de estos problemas, centrándose en las soluciones de los eventos y no en el drama que éstos llevan implícito.

En lo que se refiere a los tres pilares menciona-
dos y de acuerdo a la investigación realizada, puedo
asegurar que también existen jóvenes que se manejan
bastante bien en su formación y jóvenes que no temen
mostrar en equilibrio la formación de aspectos masculinos y femeninos.

Todos estos adolescentes cuentan con varias características en común:

- Pertenecen a alguna entidad que les enseña a ma-
nejar en forma eficiente su tiempo
- Forman parte de sistemas familiares con reglas
claras y afecto expresado
- Tienen valores de tipo religioso o espiritual
- Practican algún tipo de ayuda social y,o comuni-
taria
- Tienen responsabilidades dentro de sus casas
- Tienen acceso restringido al ejercicio de la libertad
adolescente
- Tienen mucho afecto a su alrededor y se les per-
mite equivocarse
- Son educados en "la palabra se cumple hasta el
final"

- Pueden realizar actividades de su género y del otro sin ser ridiculizados ni sancionados

II. MASCULINIZACION ADOLESCENTE Y OTROS TEMAS

Masculinización y homosexualidad

Es de suma relevancia tocar este tema en estos momentos: el aumento del lesbianismo entre las adolescentes se relaciona total y absolutamente con el problema de la masculinización de las mujeres.

Llama profundamente la atención el que, en consulta, aumenta día a día el número de niñitas que se autoproclaman homosexuales o bisexuales con una facilidad enorme, como si esta condición se la pudieran colocar o sacar cuando ellas quisieran; lo mismo pasa, pero en mucho menor escala, con los hombres. Al tratar de encontrar las causas de este fenómeno social me encontré con dos variables que resultaban evidentes, varias de ellas de carácter macrosocial y que podrían explicar esta efervescencia.

Una de ellas tiene que ver con el fenómeno de erotización social al que no sólo estamos expuestos sino que podemos llegar a decir, incluso, que se trata de un fenómeno en el que estamos inmersos. Ya he mencionado en páginas anteriores cómo es que el amor se ha erotizado, y tal es la magnitud de esto que hay apoderados que confiesan que ya no se atreven a acariciar a un niño en un supermercado porque temen que la evaluación social pueda cuestionarlos, aspecto que, por supuesto, no ocurría hace diez o cinco años atrás. Otro hombre adulto y casado me comentaba hace poco tiempo atrás que se sentía verdaderamente agredido todos los días por el tema sexual ya que la sociedad estimulaba sus hormonas sin que él lo eligiera; sin ir más lejos, hasta en el supermercado los estímulos para que compremos cualquier producto son de esta índole.

Éstos son sólo algunos ejemplos que demuestran el impacto cotidiano que alcanza el fenómeno de la erotización y nos afecta que a todos de una u otra forma. Cuando en una sociedad se viven fenómenos como éstos se empiezan a utilizar palabras con mayor frecuencia y a manejarse públicamente diagnósticos facilistas.

Si en mi generación yo me abrazaba con una amiga en el patio del colegio o le tomaba la mano para ir hacia la sala ninguna de mis compañeras habría utilizado el rótulo de "lesbiana" para definir mi conducta, simplemente no estaba en nuestro vocabulario ni en el de la mayoría de las adolescentes de mi generación ni de las anteriores; las mujeres podíamos libremente ser cariñosas entre nosotras sin que esto implicara en absoluto alguna alteración en nuestra condición sexual.

He aquí una de las tergiversaciones mayores con respecto al tema de la sexualidad, como es la existencia o no de la posibilidad de elección respecto a la homo o la bisexualidad. Según mi experiencia y de acuerdo a estudios en el tema, la homosexualidad es una condición no una elección. Puedo elegir, en cambio, si voy a practicar mi homosexualidad o no, pero el serlo está dentro de la persona como algo inevitable, que viene dado.

Al ser una condición, y no una elección, requiere de un proceso para asumirse y en nuestro país, dado lo que indica la experiencia, se trataría de una condición que se asume en la mayoría de los casos sobre los veinte años, por lo tanto, ningún adolescente debería autoproclamarse homosexual con absoluta y plena seguridad, puesto que no ha adquirido la madurez emocional que le permita vivir de buena forma esta realidad y que a diferencia de los jóvenes heterosexuales requiere de una mayor convicción y fuerza interna, pues deberán enfrentar la resistencia social.

Otro antecedente que explica el aumento del autodiagnóstico de lesbianismo en nuestra sociedad tiene que ver con una de las características femeninas por excelencia: la externalización de la felicidad. Veamos un caso real. Cuando las adolescentes de mi generación íbamos a una fiesta o discoteque a bailar teníamos que esperar a que, en primer lugar, nos invitaran o nos "sacaran" a bailar. Llegado el caso, cada una de nosotras bailaba con un adolescente hombre. Yo bailaba con Pedrito y todo lo que le pasaba a mi cuerpo mientras estaba con él —producto de este fenómeno de externalización— era responsabilidad de "Pedrito", la taquicardia, el ponerme colorada, etc. Nadie nos enseñó ni enseña que ésas eran reacciones normales producto del baile, del encierro y también de las hormonas que se estaban desarrollando, y nosotras asumíamos que esto ocurría y que el fenómeno en cuestión obedecía única y exclusivamente a que Pedrito nos gustaba. Hoy las adolescentes mujeres, siguen siendo mujeres y, por lo tanto, el fenómeno —que yo he llamado de externalización— sigue operando en ellas, con la diferencia de que hoy bailan la mayoría de las veces solas o entre mujeres, y sucede que el proceso de erotización lo viven entre ellas, ya no es Pedrito, es la Carolina; entonces me quedo con la idea de que las sensaciones de mi cuerpo me las produjo ella y, a partir de un par de experiencias como ésta, es bastante fácil —en los casos en que hay cierta inseguridad natural sobre la definición sexual, que "*ella* me gusta".

La experiencia clínica y esta misma investigación me han permitido observar que una adolescente puede vivir una experiencia lésbica y, posteriormente, continuar con su vida heterosexual, incorporando su vivencia dentro de todos los acontecimientos de su vida. En cambio, cuando un hombre vive una experiencia homosexual —y, quizás, producto de la pulsión biológica que precede al acto sexual masculino— es muy difícil que haya vuelta atrás en este camino y por lo mismo pareciera que ellos se exponen mucho menos y no incurren fácilmente en probar si les gusta o no.

En el desarrollo de lo masculino este cambio femenino —dado principalmente por la libertad y autonomía

de las mujeres para, por ejemplo, bailar solas o entre
ellas– tiene consecuencias que llevan a la desorienta-
ción. Por ejemplo, están desorientados pues hoy en día
ninguna de las habilidades de conquista que utilizaron
sus padres y que ellos a su vez aprendieron de sus padres les sirven, pues ellas salen solas, de modo que no
las puedan ir a buscar; ellas regresan por sus propios
medios a sus casas, bailan solas y la mayoría de las veces son ellas las que comienzan la seducción, no que-
dándoles a ellos otra posibilidad más que la de "arre-
meter" con gran personalidad, y esta gran personalidad
es manejada preferentemente como agresividad.

Los adolescentes suelen manifestar que frente a
las "minas" tienen dos alternativas de respuesta: o estaban con "copete" para que no les importara el rechazo o tenían que ser agresivos para lograr su objetivo
de conquista. Y es que como ellas tienen un comportamiento agresivo "innato", pero necesitan sentirse protegidas, entonces no queda otra que ser más agresivos
que ellas y la espiral lleva a que no falten los casos en
que se vivan situaciones de violencia grave, pero que
no alcanzan a ser registradas por las estadísticas.

Masculinización y trastornos de alimentación

La anorexia, la bulimia y la obesidad son conside-
rados en la actualidad los trastornos de alimentación
más importantes. Cuando comenzaron a aparecer como
cuadros clínicos a principios de los 70 se presentaban
en adolescentes con ciertas características muy preci-
sas, entre las que figuraba con más alta preeminencia
el querer ser flacas para conquistar a los hombres que
tenían a su alrededor.

Así, la anorexia se presentaba en niñitas de doce a
dieciocho años, quienes, además, eran calificadas como
"buenas niñas", no daban problemas a sus padres hasta
que presentaban este trastorno; niñas autoexigentes en
exceso, perfeccionistas, con valores rígidos, inhibidas
para expresar sus sentimientos y con una tendencia a
controlarlo todo, incluido su cuerpo.

La bulimia, en cambio, se presentaba en niñas
universitarias a las que les llegaba "el dato" por otras
mujeres que "podían comer todo lo que quisieran y
después eliminar la comida con vómitos o laxantes y,
por lo tanto, no engordar". En estos casos predominaba

la tendencia al control, pero faltaba la fuerza de voluntad para mantenerla.

En la obesidad, por último, tanto ayer como hoy, la falta de control es absoluta y todas las características se suman a cierta rebeldía a los cánones de belleza implantados en el sistema.

Estos tres cuadros han variado con el tiempo y hoy se presentan, sobre todo la anorexia y la bulimia, como cuadros fásicos, esto es, que pasan por una fase anoréxica y luego por una bulímica, probablemente —se llega a la bulimia— debido a la fuerza de voluntad, que es tan escasa en esta generación.

La raíz de estos cuadros en los tiempos que corren, y desde la mirada de lo masculino y lo femenino, nos coloca frente a un tema "de mujeres", un tema "de mujeres masculinizadas", pues tendría mucho que ver con una competencia "intrafemenina" y con una especie de "envidia" dentro del género. Es decir, estos trastornos ya no sólo estarían dados por el deseo de atraer a los hombres sino más bien por el deseo de ganar o estar mejor entre las propias mujeres.

Las madres de estas adolescentes —hoy se puede observar el fenómeno incluso en niñitas desde los siete años– en su gran mayoría tienen problemas con la comida, porque comen mucho (obesidad) o porque no quieren comer nada (anorexia) o porque ya vomitan lo que comen puesto que conocen el "dato" (bulimia). En las casas de estas niñas la comida es un tema de extrema relevancia, se habla de las dietas, se habla de lo que se come y no se come, se relacionan en torno a la belleza femenina, el peso y la sexualidad encubierta. Las relaciones madre-hija están marcadas por la competencia, la envidia inconsciente frente a la belleza de cada una y la tendencia a enseñar el control desmedido de la existencia.

En la actualidad, las jóvenes, mujeres o niñas que presentan estos cuadros transmiten indirectamente o confiesan que no quieren crecer, no quieren tener cuerpo de mujer, no quieren erotizar y no quieren ser erotizadas, temen enfrentarse a sus curvas, a su propio desarrollo. No quieren excitar ni que las exciten, por lo tanto, quieren ser "planas", o sea, no tener busto. Y, más todavía, de acuerdo a lo descubierto en la investigación, esto ni siquiera tiene que ver con el busto sino que principalmente se restringe a las caderas. A eso le he llamado el "ángulo anoréxico" y comprende la zona que abarca las caderas y la parte baja del abdomen; como el desarrollo y,o engrosamiento de esta zona ellas no lo pueden atribuir al crecimiento ni al cambio hormonal, culpan a la gordura y el ideal será ser "rectas", sin curvas de ninguna especie, para lo cual dejan de alimentarse al extremo de bloquear el crecimiento y las hormonas, llegando a la "amenorrea" o ausencia de menstruación, símbolo perfecto de no querer crecer.

Estos cuadros son el ejemplo más dramático de la negación del ser mujer y de la influencia ineludible y nefasta que surge de la forma en que nosotras mismas valoramos lo femenino; tanto es así que quienes mejor ayuda prestan en estas terapias son los hombres, pues lo hacen colocando el juicio de realidad al concepto de belleza y a la tendencia autodestructiva presente en estos cuadros.

Una consecuencia, quizás la más importante, para la vida adulta de estas adolescentes anoréxicas y bulímicas es su alta probabilidad de infertilidad. Simbólicamente, pareciera que al momento de querer concebir un hijo, la naturaleza femenina cobrara las conductas de autoagresión ejercidas en la edad de la adolescencia o juventud. Además, las mujeres adultas que en su

adolescencia presentaron algún trastorno de alimentación, pierden — y no siempre recuperan— la capacidad
de disfrutar casi de todo, de la comida, de la sexualidad
y de cualquier placer que les genere visualizarse como
mujeres gozadoras. La maternidad incluso es vista más
como una exigencia ansiosa y no como una aventura
maravillosa que pasa por nuestros cuerpos.

Por una parte las mujeres nos hemos ido masculinizando y hemos adoptado estos cuerpos sin formas,
pero no necesariamente la masculinización viene dada
por la falta de formas, más bien se trataría de buscar
el ser asexuadas. La masculinización, en cambio, estaría
dada principalmente por la competencia, cifrada en el
logro exacerbado por ser las mejores y las únicas, a lo
que se sumarían las tendencias de logro y control exa-
gerado más propias de lo masculino que de lo femenino. Los cuerpos sin forma serían una negación del ser
femenino, pero, insisto, serían una consecuencia que
negaría ese ser y que no necesariamente —en tanto
formas—; pienso que la masculinización está más bien
dada por los medios y no por el fin, pues la búsqueda
se orienta sobre todo hacia el cuerpo asexuado. Por
una parte las mujeres nos hemos ido masculinizando

al punto de llegar a negarnos a nosotras mismas, ne-
gando nuestros cuerpos hasta dejarlos sin forma y, por
otro lado, existe en la actualidad una sobre o hiper-
valoración de la "silicona" como forma de recuperar,
ganar o mejorar las formas. Pero esto nada tiene que
ver, lamentablemente, con la valoración de lo femenino
y de sus máximas representantes, las mujeres, sino que
se trata más bien de un fenómeno que no hace más
que exacerbar lo externo; se trata —en la mayoría de
los casos— de una alternativa fundada principalmente
en la frivolidad que, como decía, nada tiene que ver
con la valoración de lo más profundo de la mujer, de
su condición de dadora o portadora de vida, cuyos órganos y su cuerpo son, principalmente, un vehículo de
amor y de sabiduría. La alternativa de la silicona estaría
más cerca de convertirnos en objetos del solo goce
estético y,o sexual, a través del cual, por supuesto, se
sobrevalora la juventud versus la experiencia.

Pero como estos procesos son de ida y vuelta, a
la presencia de la masculinización femenina es posible
sumar el aumento, día a día, de una especie de afe-
minamiento de lo masculino —que resultaría, por una
parte, como una suerte de "contagio conductual", algo

así como si ellas pueden, nosotros también y, al mismo tiempo, tendría que ser asimilable al no querer ser, al negarse a sí mismo— y no deja de alarmar el alto porcentaje de hombres y niños con anorexia, preocupados hasta la exageración de su estética y exacerbando más allá de los límites recomendables las tendencias al control.

Todo esto nos debiera llevar a hacer una revisión exhaustiva de la o las formas en que funcionamos en nuestras propias casas con respecto a la comida, la cual si bien está fuertemente asociada a una de las máximas fuentes de expresión de amor, puede transformarse en una peligrosa forma de manejar el poder de las mujeres —y no precisamente el poder femenino, que produciría todo lo contrario—, ya que el mensaje que hijas e hijos podrían estar transmitiendo a través de conductas como éstas a su madre es que es mejor estar muerta o muerto que ingerir lo que ella cocina o compra.

La realidad tan dura que he descrito es una razón más para revisar el valor que hombres y mujeres asignamos o damos a lo femenino. Debemos revisar de qué manera las mujeres renegamos de nosotras mismas desde que somos pequeñas; tanto es así que podemos llegar incluso a odiar nuestro cuerpo, a negar sus capacidades para transmitir amor, o a verlo como un mero objeto sexual.

Masculinizacion y agresividad

Cada vez que hemos transmitido, consciente o inconscientemente, a nuestras hijas o a las integrantes de las generaciones que nos siguen que "ser mujer es un cacho" y que "debieran que ser lo más hombres posible", debemos reconocer que nos han hecho demasiado caso.

En nuestro país las adolescentes y mujeres jóvenes, experimentan una gran confusión entre lo que es tener un carácter fuerte y la agresividad, puesto que si bien puede ser motivo de orgullo contar con un carácter fuerte, éste no debe ser confundido con actuar con agresividad, elemento que está presente con frecuencia hoy en día, dada la confusión que señalo. Por otra parte, la dulzura y la ternura, perfectamente posibles en los caracteres fuertes, no son vistas como virtudes, al contrario, pues estas dos características representarían a esta generación que se sintió sumisa y pasada a llevar, erróneamente, se piensa, por falta de fuerza. De esta manera, para que a la nueva generación no le pase lo mismo, debemos enseñarles a tener más carácter y a "defender sus derechos". Olvidamos en alguna parte del camino los términos medios, se nos olvidó que una persona con buena autoestima (concepto que ha sido tan manoseado) es, ante todo, humilde y cálida, precisamente porque nada tiene que perder.

Estamos ante generaciones de adolescentes y jóvenes que pareciera se han propuesto definir su identidad desde el orgullo y no desde los valores más profundos; están más preocupados de defender una posición que de ser ellos mismos, no pueden mostrar muchos sentimientos porque eso es ser débil; cultivan —ante nuestros ojos— una falsa noción de respeto que les indica que tienen que responder a todas las agresiones para hacerse valer.

Recordemos aquí el caso que les conté sobre los adolescentes varones que decían que para proteger y conquistar a una niña tenían que desarrollar una agresividad que no tenían; sólo así, por un lado, no les importaba el rechazo de estas niñas a las que parecía no importarles nada, o tenían que ser cuatro veces más agresivos para que ellas se sintieran protegidas, ya que como ellas siguen siendo mujeres, necesitan igual que un hombre las proteja. Esto último les exigía, por tanto, ser "más brutos" que ellas y así por lo menos, desde la agresividad, contenerlas. Los adultos podemos ver con claridad que así estos jóvenes se están exponiendo a un juego peligroso, pues los lleva en cuanto parejas a manejarse con niveles de violencia muy altos en el que la "igualdad" mal entendida puede provocar daños irreparables.

A propósito del tema de la violencia aprovecho de hacer hincapié en que en las familias actuales existen códigos de violencia que están siendo validados cotidianamente por los adultos, ejemplo de esto son los gritos dentro de las casas, la repetición a gritos de lo que queremos, con la agotadora sensación de que no nos hacen caso.

Un niño brillante, Benjamín, me mostró que la razón por la cual gritamos más en nuestras casas es porque no nos movemos, tratamos de dirigir las vidas de todos "a control remoto", todas o gran parte de las instrucciones las damos a distancia, con lo cual el nivel de tensión familiar aumenta y, además, genera que nuestros niños no nos hagan caso de inmediato, pues ¿para qué van a obedecer de inmediato si saben que nosotros les vamos a repetir las cosas tres o cuatro veces? Como me decía Benjamín, para qué voy a apagar la tele a la primera si sé que tengo cuatro "¡apaga la tele!" más, tengo diez minutos de tele gratis. Ésa es la astucia de los niños y un estupendo ejemplo de nuestra inconsecuencia y de cómo vamos generando violencia sin siquiera darnos cuenta.

La violencia, al igual que la erotización, nos acompaña todo el día; depende de nosotros entender que todos formamos parte de esta red y que sólo en la medida en que nos encontremos con nosotros mismos, con nuestra identidad más profunda —tanto femenina como masculina— estaremos más en paz y haremos una sociedad de paz: pues todo comienza desde dentro.

Antes de terminar este capítulo no puedo dejar de hacer mención a una forma muy especial de violencia y que, lamentablemente, también forma parte de la lista de nuevas conductas de autoagresión que están teniendo muchas niñitas y adolescentes, me refiero a los cortes que se autoinfligen en diferentes partes del cuerpo con el fin de eliminar sus angustias.

Se cortan con cuchillos o tip-top brazos, piernas y abdomen y expresan que esto les permite tener la sensación de que les proporciona un gran alivio. A mis preguntas sobre por qué lo hacen, qué las induce a hacerse daño y, más encima, reportarlo como algo aliviador, la respuesta que dan en forma unánime es que se cortan como una forma de disminuir su ansiedad.

Se infieren cortes a modo de ansiolítico, hacen uso de esto como si fuera un ansiolítico. Sienten que tienen tanta angustia dentro y tanta rabia —hemos visto que se trata de angustias y rabias antinaturales— que quieren llorar y no pueden, que, entonces, cuando hacen el corte y ven cómo sale la sangre, es como si a través de ella se fueran las angustias, la rabia disminuyera. Entonces quedan con una sensación —dicen— de cansancio gigante, sensación que por lo general las hace dormir.

Una forma de explicar estas conductas podría ser la que he venido proponiendo en este libro: hacerlo a través o bajo la mirada de la masculinización. Así pues, tenemos que las adolescentes han dejado de expresar sus sentimientos, están funcionando en sus vidas cotidianas como lo hacen los hombres. Por ejemplo, ante la pregunta sobre qué les pasa, ahora —ellas al igual que ellos— responden "nada". Esto las lleva a hacer algo que va en contra de su propia naturaleza, como sería el que guarden lo que sienten. Sumemos a esta nueva forma de actuar frente a los sentimientos el que el hecho de entristecerse es castigado y visto como un signo de ridiculez. Las niñas de ahora se están habituando a la rabia y no a entristecerse y llorar; para colmo, no saben cómo deshacerse o eliminar la rabia, como sí saben hacer los hombres acostumbrados por generaciones a batirse con ella mucho más que con la pena (ellos la eliminan a través de la costumbre de expresarla verbalmente —lo que además es valorado socialmente— y también contribuyen a su eliminación las prácticas deportivas o de mayor riesgo que les permite botar la adrenalina contenida).

Una suma de factores hace que ellas encapsulen sus emociones y, como ya he postulado, eso no estaría en la naturaleza femenina. Si esto le sucede a alguna de las niñas que confiesa haberse inferido cortes, dirá que aquello que la entristece y,o la enrabia le "duele" a tal punto que necesita a cualquier costo "sacar" aquello del cuerpo, y el corte parece ser una muy buena solución. En los tratamientos que he tenido ocasión de realizar a niñitas con cuadros de agresión como éste han dado excelentes resultados todo lo que hemos hecho en vistas a ponerlas en contacto nuevamente con su esencia femenina, a que expresen sus sentimientos, a que valoren y recuperen la magia de la conversación, pues resulta ser una excelente instancia de liberación emocional y un medio muy afín a lo femenino.

Masculinización y sexualidad

La edad de inicio sexual es un tema que nos preocupa a todos los adultos y en especial a los que somos padres. Así es como somos capaces de preguntar y preguntarnos todo lo imaginable con respecto al tema: ¿cuándo será oportuno hablar de sexo?, ¿cómo hablar el tema?, ¿si hablo del tema estaré incentivando a mi hijo o hija?, ¿si no le hablo del tema es probable que se equivoque?, ¿qué será lo mejor, hablarle o no hablarle?, ¿le pregunto si quiere hablar del tema o no le pregunto? y como ¡ayyyy! son tantas las dudas, decidimos la peor opción: NO HACER NADA ¡NI DECIR NADA!

Para nadie es un misterio que hoy la sexualidad y la genitalidad, en términos estrictos, se inicia antes de lo que ocurría en nuestra generación y la forma de iniciación también es distinta. Hoy los adolescentes se inician sexualmente, según señalan los estudios más actualizados, antes de los seis meses de pololeo o de "andar" o de "tener un amigo con cover o con ventaja", palabras que los adolescentes han inventado para no asumir el pavor que les da comprometerse. Por lo tanto, después de ese plazo deberíamos comenzar a preocuparnos los adultos y observar lo más de cerca posible a nuestros hijos.

En lo que respecta a la iniciación sexual, hoy nuestros niños siguen pautas que quisiera compartir con ustedes, pues sólo podremos educar en la medida en que las conozcamos:

El comienzo de la genitalidad parte con la pubertad en el hombre, en términos generales, con la primera polución nocturna y la masturbación y, en el caso femenino, con la menarquia y su respectivo cambio corporal. Como el tema de este libro no es exclusivamente el de sexualidad, no me referiré a los cambios físicos y psicológicos de este período. Pero sí me interesa mostrarles que la masturbación, hoy en día, es un tema de ambos sexos y aclarar que en sí misma no representa una alteración, pero que, claro, puede, fácilmente, debido a ciertos cuadros de angustia, transformarse en adicción o en la alternativa para autogratificar inseguridades y miedos. Desde ahí puede tornarse peligrosa porque estaría enmascarando algún problema relacionado con las habilidades sociales y afectivas.

Lo sexual visto desde los roles femeninos y masculinos se muestra como un ámbito en el que los cambios en la forma de desempeñar dichos roles tiene que ver con una especie de traspaso o intercambio: las mujeres estarían actuando como los hombres de antaño y los hombres, como las mujeres. Son ellas las que seducen y conquistan explícitamente y los hombres, sin patrones ni modelos, parecen que no saben cómo actuar, pues se trata de mujeres que exigen, presionan, se adelantan. Incluso este cambio de roles, aseguran, podría explicar el aumento de disfunciones sexuales —impotencia y eyaculación precoz— en adolescentes y jóvenes. Este intercambio de roles pareciera estar afectando negativamente la "fuerza", la "potencia", de los hombres.

La pornografía hace "mal" —así, entre comillas— no porque muestre contenidos "asquerosos", sino que debido a que entrega información y definiciones sexuales que son falsas genera expectativas que nunca van a poder ser satisfechas y que, por lo mismo, se verán frustradas. Ella entrega códigos de "tamaños", "ruidos" y "formas" que no son reales y que al verlas un adolescente se formará una idea de la sexualidad basada sólo en la genitalidad, donde el amor no está presente y donde el tema del rendimiento es lo más importante, es decir, el acto sexual está centrado en el logro y no en el proceso, objetivo masculino pero no femenino.

Con el chat ocurre más o menos lo mismo ya que las mujeres interpretan el mensaje escrito como si se lo estuvieran "diciendo", con lo cual todo lo que ahí se dice parece "magia". Se pierde, además, la maravillosa posibilidad de exigirnos escribir correctamente, desincentivando la verdadera capacidad para discriminar lo que es verdadero y lo que es falso.

La edad de inicio sexual hoy día en nuestro país para ambos sexos es alrededor de los quince y ésta puede darse dentro de una relación de pareja, pololeo o "andando". El motivo de la iniciación, aunque parezca increíble, siempre de acuerdo a lo observado en mi investigación y teniendo en vista las estadísticas nacionales , sigue siendo la famosa "prueba de amor" hacia el hombre. Es que las mujeres siguen teniendo este afán de sentirse necesitadas y de centrarse en los otros y no en ellas mismas. No olvidemos que para la mayoría de nosotras la definición de amar tiene que ver con decir que sí, pues si digo que no, entones no amo lo suficiente.

Si me piden algo y yo amo, tengo que entregarlo, y como en la juventud se ama con una intensidad que parece real y profunda, entonces se entiende que lo que me piden tengo que entregarlo. En este punto es central tener en cuenta y transmitir a los adolescentes que a los catorce años se puede querer mucho a alguien, pero no es posible sentir amor, pues el AMOR —con mayúsculas— se construye con decisión de amar y con la voluntad de querer estar con el otro para siempre. A los catorce suelen sentir en la mañana que les gusta alguien; en la tarde, otro; y mañana, dos; esto incluso se debe a los cambios hormonales que se experimentan a esa edad y que entregan variabilidad en su comportamiento.

Nuestros hijos, los niños y adolescentes en general, se quedan más y mejor con lo que hacemos los adultos y no —como nos gustaría— con lo que decimos, por lo que todo implica educar la sexualidad, desde decir que tal mujer vestida así es "rica" o parece "puta", hasta el comentario de que tal hombre es "m'ijito rico"; éstos y todos nuestros comentarios se transforman en pautas de lo que se espera de mujeres y hombres en el siglo XXI. Para educar a los niños y adolescentes en una sexualidad sana debemos revisar nuestras propias heridas en relación al tema y lo que hemos querido o hemos transmitido inconscientemente desde el tiempo de "los niños no lloran" hasta ahora cuando "llorar es humillarse" , y preguntarnos si hemos cambiado tanto o no.

En mi generación y en las generaciones anteriores, debido a lo estructurado de todo el funcionamiento social, mis padres sabían y conocían a los padres de mis amigos, por lo tanto, estaban o creían estar al tanto de todo lo relacionado a ellos. Tenían más claro dónde y con quién andábamos a pesar de no existir los mails y los celulares. Hoy, en cambio, tenemos miles de competidores frente a la educación de nuestros hijos, internet se ha metido tanto en nuestros hogares que la mayor parte de lo que los niños saben sobre sexualidad es a través de este medio. Por esta razón, les recuerdo lo mencionado sobre el valor de lo visual para los

hombres y de lo auditivo para las mujeres, e insisto en que dadas estas características es más habitual que los niños se transformen en adictos a la pornografía y las niñas, al chat. Será de suma importancia el que tomen en cuenta la siguiente recomendación: los computadores deben estar ubicados en espacios abiertos de las casas y no en los dormitorios de los niños, como también sería muy adecuado controlar que los niños no estén expuestos a ellos más de una hora y media al día.

Recién después de revisar nuestras historias y nuestros miedos podremos ver y conocer mejor a nuestros niños; sólo a partir de ese momento podremos saber qué y cómo piensan con respecto a temas como la iniciación sexual, el aborto, las relaciones sexuales, y otros asuntos. Ahora, cuidado, una advertencia: cuando pregunto tengo que estar dispuesta a escuchar cosas que no me gustan y que discrepan de lo que yo quise educar. En estos casos, lo mejor es callar y esperar otra oportunidad para empezar a formar hacia donde yo creo que es correcto hacerlo. Esto nos asegura mejores resultados, pues se estará partiendo de una base real y no sobre lo que yo creo que ellos saben, camino que —hemos visto— conduce a múltiples equivocaciones.

Por otra parte, tengamos también muy en cuenta que es fundamental para educar o formar niños y adolescentes hacer buenas preguntas antes que dar buenas respuestas. Esto significa que tenemos que suponer que nuestros hijos son algo así como verdaderos extraterrestres y, como tales, no conocemos ni cómo hablan ni sabemos qué piensan acerca de los temas que a nosotros nos preocupan; preguntemos para conocer de boca de ellos cómo y cuánto saben de sexualidad, de drogas y de todos los temas que están sobre el tapete.

Una vez que hayamos hecho buenas preguntas y con información de primera fuente, los adultos no debemos tener ningún temor en hacerles ver que, por ejemplo, es importante que entiendan que la virginidad es un regalo del que no se puede pedir devolución al remitente y que esa persona, querámoslo o no, formará parte de nuestra historia para siempre, por lo tanto, debemos estar estables, al menos hormonalmente, y eso no ocurre antes de los dieciocho años. Además, si bien nunca la primera relación es realmente gratificante, sigue siendo para adolescentes mujeres y hombres un hito importante en nuestras respectivas vidas y que

hay que saber cuidar.

No queda otra que entender y asumir que estamos educando en sexualidad todos los santos días y que cada vez que hacemos un comentario sobre los roles femeninos o masculinos estamos educando en sexualidad; por ende, estos comentarios, nuestras actitudes frente al tema, nuestros temores y habilidades, incidirán en la visión que los niños y adolescentes tengan en su futuro como adultos.

La sexualidad es un proceso de aprendizaje que requiere tiempo y exclusividad, que implica ir conociéndose a uno mismo y también al otro. Es la expresión del alma a través del cuerpo y, por lo tanto, para vivirlo en esta dimensión maravillosa hay que —como ya dije— por lo menos tener las hormonas estables y contar con un proyecto de vida que incluya todos los aspectos más profundos del ser humano.

Son cientos los adolescentes arrepentidos por el vértigo en el que están o han estado metidos producto de vivir todo tan rápido. Es tanta la velocidad de lo que sucede que sienten que van quedando vacíos, pues no alcanzan a incorporar en sus procesos los afectos y las sensaciones más profundas. No hay conciencia de cómo se va creciendo ni cómo este crecimiento está afectando al espíritu. Si el cuerpo crece en desarmonía con el alma se provoca indefectiblemente una enfermedad o daño psicológico.

No olvidemos aquí que es central que la mujer asuma que el deseo sexual está en ella y no viene desde afuera y, por lo tanto, que si ella no quiere no pasa nada. Que no son los ángeles los que despiertan su sexualidad, sino que ella es parte y responsable del proceso. Pero este hacerse responsable de sí misma no quita el que las mujeres necesiten sentirse cuidadas, protegidas. En el fuero interno de las mujeres lo femenino necesita el complemento de lo masculino y viceversa. Las mujeres en su femineidad necesitan que los hombres asuman su rol como tales y que éste sea, claro, coherente con su masculinidad para poder ser realmente complementarios.

También nos toca comprender a las mujeres que para los hombres —que tienen su vida ordenada en compartimentos—, la vida sexual es de suma importancia ya que es el único momento en el que sienten que están con su mujer, pues el resto del tiempo están

con la dueña de casa, con la mamá de sus hijos, con
la compañera de vida, pero no con su mujer, con quien
están sólo cuando tienen alguna vivencia erotizada o
sexual. Por lo tanto, no es que nos quieran sólo para
eso, como dice el lenguaje popular, sino que en esa
área nos sienten de ellos. Los hombres debieran entender que para nosotras el "antes" y el "después" son más
importantes que el "durante", ya que la valoración del
proceso completo —no sólo de lo que concierne a la
penetración— adquiere preponderancia fundamental y,
como además somos auditivas, es importante que nos
hablen y nos digan que nos quieren a nosotras y no a
cualquiera.

En la vida con un hombre yo puedo vivir con él,
administrar platas, criar niños, ir al cine, viajar, etc.,
pero —como he dicho anteriormente— todo eso puedo
hacerlo o se puede dar con un amigo: lo que me hace
experimentar la vivencia de pareja es tener con esa
persona la dimensión de la sexualidad incluida y vivida
como tal.

En la medida en que hombres y mujeres nos encontremos con nuestra esencia femenina y masculina vamos a poder, sin duda alguna, amar más profundamente

y de mejor forma. Nadie da lo que no tiene dentro, por lo tanto, para tener una buena vida sexual es importante tener una buena vida propia, y no olvidemos que cuando se vive en pareja es la sexualidad —entiéndase por vida sexual lo genital, lo erótico y sensual— con esa persona lo que nos hace sentir que tenemos pareja.

Se dice que las mujeres entregamos sexo para recibir amor y los hombres entregan amor para recibir sexo; esto hace que sea muy difícil para una mujer tener intimidad sexual si no ha tenido intimidad emocional previa, es decir, un hombre que quiera tener "una buena noche", necesariamente le tiene que "dar un buen día" a su mujer. Esto también lo conocen y experimentan los hombres que tienen su lado femenino más desarrollado, pues los afectos influyen directamente en su rendimiento sexual.

En síntesis, la sexualidad es una dimensión humana que traspasa todas las demás, que requiere su espacio, su tiempo y su madurez. Se precisa entenderla como una entrega del alma, como una dimensión que necesariamente está unida al amor para ser vivida en plenitud. Se puede experimentar sin amor, pero la vivencia será distinta y, por lo tanto, menos plena desde el alma. Requiere ser formada desde siempre a partir de todas aquellas actitudes de los adultos que puedan servir de modelo y de ejemplo. Las actitudes más apropiadas y que contribuyen a modelar lo mejor del ser humano son todas aquellas que tienen que ver con "hablar con la verdad y valerse del respeto que el ser humano se merece". La sexualidad se forma adecuadamente en la medida en que es conversada, vivida y compartida con honestidad, con heridas incorporadas y con límites claros. Los adultos deben velar y proteger la integridad e individualidad de sus niños y niñas, manteniendo reglas y convenciones adecuadas para ello.

Masculinización, alcohol y drogas

El alcohol y las drogas constituyen un tema que aterroriza a los adultos, especialmente a los padres. Hablar de drogas y alcohol se ha vuelto tan complicado como hablar de sexualidad y, peor aún, asumimos que nuestros hijos nunca estarán metidos en estos problemas, por lo que arrancamos de la posibilidad siquiera de conversarlos.

Sin embargo, hablar de este tema es enfrentar otro que, sin lugar a dudas, nos toca a todos, se trata de las dependencias: todos de una u otra forma dependemos de algo. La dependencia en sí misma forma parte de nuestras redes sociales y de nuestros lazos afectivos; todos necesitamos depender, pero no nos debemos apegar a esas dependencias, ya que cuando éstas nos quitan libertad nos hacen daño.

Quienes consumen fármacos para despertar o para dormir, toman algún estimulante, fuman o tienen algún hábito del cual no se pueden desprender son de alguna manera adictos. Ésta es una de las consecuencias de formar parte de una sociedad occidental que nos enseña a depender de todo, haciéndonos creer que en esa dependencia encontraremos la felicidad.

En la actualidad llama profundamente la atención de los adultos el que no puede haber "carrete" sin "copete". Ellos verbalizan que el "carrete" estuvo bueno en la medida en que *no me acuerdo de nada*, en que *se me apaga la tele*.

La pregunta que mejor calza aquí es preguntarse y preguntarles ¿para qué? o ¿por qué? necesitan tomar, ¿qué es lo que ellos no pueden decir o no pueden hacer sin alcohol y que este elemento les hace más fácil?

El tema de fondo no es si el alcohol y las drogas
matan neuronas o hacen mal, pues todos sabemos que
el que está drogado o con alcohol lo pasa bien mientras
está en ese estado y no piensa en las consecuencias. El
drama viene después, cuando los efectos desaparecen
y no recuerdan lo que hicieron o son tan distintos que
lo único que quieren es repetir la sensación de libertad
que les causa esa falsa realidad.

Todo comienza con el alcohol, éste es la puerta
de entrada de todos los demás problemas sociales
—incluida la violencia social que tanto nos asusta— y
llama la atención la falta de preocupación frente a un
problema que ya es de salud pública.

El alcohol es, lamentablemente, todavía un signo
de masculinidad y de hombría, y como las niñitas tienen que hacer "cosas de hombres", toman hoy más que
ellos. Alcohol y drogas son hoy una necesidad social y
permiten probar personalidad y carácter. El concepto
de entretencion de los adolescentes deja mucho que
desear: no saben usar su tiempo libre, si no están
conectados a alguna pantalla todo parece aburrido. Alcohol y drogas aseguran entretención a toda actividad
social que ellos realicen. Ello, dentro del contexto que

implica formar parte de una generación que no quiere ser adulta, que quiere "arrancar" de las responsabilidades que tiene que enfrentar, que prefiere "borrarse" por un rato para no experimentar angustias ni tristezas, pues no saben cómo enfrentarlas porque no nos hemos dado los adultos el tiempo para enseñarles. Alcohol y drogas son la solución ideal, son rápidas en sus efectos y "cambian lo que no me gusta de mí", disfrazan miedos, "me hacen parecer valiente por un rato", "siento que todo a mi alrededor es positivo y la memoria nos acompaña de la mejor forma, pues en estas condiciones olvidamos todo lo que no nos conviene y nos exime de toda responsabilidad". Pero nos pese o no, inevitablemente llegará el momento de tomar conciencia y contacto con el mundo; entonces, nos tocará encontrarnos igual de tímidos que al principio, igual de temerosos e inseguros con el mundo. De nada sirvió "el carrete", la realidad siempre hay que enfrentarla.

La solución como padres y adultos para no tener que llegar a ver estos problemas dentro de nuestras casas estaría en darles responsabilidades, en decirles que no, en frustrarlos y enseñarles desde pequeños lo que está bien y lo que está mal. Reglas claras es la consigna.

Además, claro, tenemos que preocuparnos por las habilidades sociales de nuestros hijos, desarrollar en ellos la capacidad de decir que no a las presiones sociales, a que se sientan queridos y aprendan a quererse a sí mismos con el fin de que no necesiten aliñar su vida social y experimenten, en cambio, la plenitud de su ser estando conscientes de ellos y del mundo.

Hemos transitado por una cantidad considerable de temas individuales y sociales que pueden ser mirados desde la perspectiva de lo femenino y lo masculino. Ojalá éstos permitan la reflexión sobre la forma en que los adultos estamos criando a las nuevas generaciones. No hagamos los adultos sólo cosas urgentes y poco importantes; pongamos, mejor, nuestra energía al servicio de la educación y mostrémosle a los que vienen cómo alcanzar la plenitud del alma.

CONCLUSIONES

Me cuesta creer que esta aventura, que este viaje que comenzó hace más de cuatro años, esté finalizando.

He entrado en la vida de muchos de ustedes y ojalá esto haya servido para mostrarles algunas situaciones que les puedan estar quitando espacios de felicidad. Al mismo tiempo, espero que este libro les permita ver posibles caminos para disfrutar más y mejor del maravilloso desafío de vivir.

Hoy parece ser tan difícil vivir, vivir bien; más parece que estuviéramos sobreviviendo sin mucha conciencia de lo que nos pasa, de lo que sentimos y, algo peor, tampoco sabemos hacia dónde vamos.

Nos estamos matando en el intento por satisfacer todo lo que se espera de todos. No sabemos qué se espera del ser hombre y del ser mujer. Pero no estaría nada de mal que no podamos hacerlo todo, que advirtiéramos que tenemos una esencia que respetar, un alma que cuidar.

Soltar y retener parecen ser la clave: soltar lo que nos hace poco libres y nos hace daño, y retener y cuidar lo importante: los afectos.

Tememos ser nosotros mismos, quizás porque ni siquiera sabemos cómo somos; no hay tiempo para descubrirse, para descubrir nuestras partes femeninas y nuestras partes masculinas, para poder elegir libre y reflexivamente cuándo usaremos alguna de ellas en pos de la unidad, pues eso somos: una unidad mágica y real que está ahí siempre dispuesta para nuestro desarrollo más pleno.

Después de todo es tan fácil ser feliz y tan difícil también; es un camino que comienza en la decisión diaria de quedarnos con lo bueno o con lo malo que nos ocurra. Saldré de mi casa esperando que la vida se me brinde o yo me brindaré a la vida para hacer lo que vinimos a hacer a este mundo.

Uno de los aspectos que más me gustaría dejar grabado en sus corazones es el que tiene que ver con aprender a valorar el dolor como una oportunidad de crecimiento, de potenciar nuestros dones y talentos. Debemos perderle el miedo a sufrir, a descubrir. Esta sociedad nos tiene convencidos —sociedad que por lo demás construimos nosotros mismos— de que la felicidad está fuera, está en adquirir, está en el vértigo de la intensidad y la rapidez, en la evitación del dolor y de las verdades. Todo esto nos hace huir y si huimos de nosotros mismos muy difícilmente podremos educar a nuestros hijos.

A las mujeres debo pedirles que, por favor, DES-PIERTEN, pues este sueño nos está llevando a perder nuestra esencia femenina. Se nos olvidó ser mujeres, se nos está olvidando la ternura, acoger, recibir; se nos está olvidando que más que estar orgullosas de ser mujeres por los logros que hemos obtenido debiéramos estarlo de la posibilidad maravillosa de que la vida pase a través de nosotras, porque somos tierra fecunda para amar y para conectar al mundo masculino —el de los objetivos y los logros— con la maravilla de los procesos, de los afectos.

Respetemos nuestra naturaleza biológica; que la menstruación no sea sinónimo de enfermedad, de mal, de problema. Si no cambiamos eso difícilmente podremos educar a nuestros hijos e hijas en la maravilla de la maternidad y en la suavidad que implica la palabra MUJER. Y esto nada tiene que ver con que no busquemos logros, objetivos; que no aprendamos de lo masculino a separar las cosas, a brindarnos tiempos personales y a entender que la felicidad no viene desde fuera ni depende de un "alguien" sino que se forma en nuestro interior y depende de nosotras mismas.

Volvamos a hacer cariño, a tocar. (El ochenta por ciento de las mujeres de la investigación reconocieron tocar menos a sus hijos y un porcentaje parecido ocurría con otras manifestaciones como decir "te quiero", preguntar si se es feliz o no.) Que la lucha cotidiana, que el tratar de sobrevivir en la jungla masculina no nos permita olvidar que la fuerza que mueve el universo es FEMENINA, es fuego, es tierra, es MUJER.

Recuperemos la sabiduría de la machi, de la bruja intuitiva que todas llevamos dentro. Que predomine el sentir por sobre el pensar, la maravilla de la humildad, del perdón como camino de encuentro. No eduquemos a nuestros hijos en el orgullo ni les hagamos creer que ésa es la forma de ser queridos y respetados. Expresemos lo que sentimos conectadas con la fuerza de la naturaleza que vive los mismos ciclos que nosotras.

No puede ser una mera casualidad el que las mujeres de nuestro país se estén enfermando de todos sus órganos femeninos, algo así como si le diéramos balazos justo a la parte de nosotras mismas que no estamos considerando. Si es verdad que el cuerpo se enferma después de que se enferma el alma, mal podremos mantenernos sanas, pues si no estamos entrenadas ni tenemos tiempo para escuchar el alma, el cuerpo se hará cargo de emitir señales que sí sepamos reconocer.

Pero no se trata sólo de que las mujeres nos enfermemos de nuestros órganos femeninos, sino de todas las enfermedades y consecuencias que puede tener para hombres y mujeres el que enseñemos que es más válido que un niño diga que no da la prueba porque tiene fiebre a que diga que tiene pena porque sus papás se separaron la noche anterior.

Ustedes, varones, aprendan a retener, a cuidarnos, a desarrollar plenamente su masculinidad junto con los afectos. Sigan trabajando por los objetivos y por lograr metas, así el mundo avanza; enséñennos a dar vuelta

las páginas rápido y nosotras les daremos profundidad
y sentido a las experiencias que viven. No dejen de decir lo que sienten en todo momento, necesitamos escu-
charlos, eso nos hace sentirnos queridas y necesitadas,
aspecto que mueve nuestra identidad más profunda.

A todos los que se dieron el tiempo y el espacio
para leer estas páginas, de todo corazón mis agradecimientos por compartir mi vida y mis dolores, ya que
todo lo que aquí planteo ha sido un camino personal
antes que profesional.

He caminado por el dolor varias veces, en ocasiones
generado por mí misma, por mis pensamientos mágicos,
por mi dificultad para soltar y por estar orientada hacia
los otros y con mucha dificultad darme tiempo para
mí. Ha sido un camino difícil, pero hermoso, y estoy
agradecida de cada lágrima y de cada equivocación,
porque de todas ellas aprendí lo que hoy con humildad
he traspasado a estas páginas y con las que pretendo
haber llegado a sus corazones y no a sus cabezas.

Me gustaría que este libro sirviera para que hombres, mujeres, jóvenes y adolescentes puedan revisar
sus vidas y las mejoren como crean que deben hacerlo,

pero, ojalá, sin olvidar que AMAR Y AMAR BIEN parece ser la única forma de alcanzar la felicidad.

Espero volverme a encontrar con ustedes, en otro libro, en la calle, en la vida, para compartir, para crecer, para llorar y, al final, para reír, reír con ganas.

AGRADECIMIENTOS

Intentar agradecer es, quizás, más difícil que haber escrito este libro, son tantos a los que tengo que dar gracias que ojalá mi memoria no me traicione y pueda de manera explícita o implícita mencionarlos a todos.

Lo primero, a Dios, por el don de la vida y el misterio de mis talentos.

Gracias a mis padres, a mi madre y hermanas, cimiento de mi vida y fuente de muchos de mis aprendizajes. Por lo que ha significado el ejemplo de cómo una mujer puede estar en el mundo masculino sin dejar de ser mujer: gracias, Mamá.

A mis amigas, que han compartido conmigo risas, llantos, vidas. Por contar con esa incondicionalidad poco frecuente en el mundo de lo femenino: las quiero mucho.

A los hombres de mi vida: a mi padre, por su ejemplo de esfuerzo para lograr lo que se propone. A los tres que me han acompañado en mi crecimiento como mujer, por permitirme conocer mis partes luminosas y oscuras. Especiales agradecimientos al que hoy ocupa mi corazón, por su tremenda confianza en mí y su estímulo constante para hacer realidad mis sueños. Gracias a todos ellos por mostrarme el mundo masculino y poder aprender de ustedes.

A mis hijos Nicole y Cristián los que, sin lugar a dudas, son el motor y la fuerza para continuar, mi cable a tierra, mi conexión con la sabiduría de los niños. Soy una afortunada al tener los hijos que tengo, hijos del rigor y de las dificultades, pequeños sabios que me enseñan todo los días a valorar lo que tengo y no lo que me falta.

A Adriana, compañera de vida y de trabajo, gracias porque sin tu apoyo incondicional, esto hubiera sido mucho más difícil , imposible tal vez.

A todos los que de una forma u otra, han compartido mi vida. Gracias a mis pacientes que son mi fuente de cariño constante y también de información para conectarme con la realidad de la vida.

Gracias, simplemente a todo y a todos.

Índice